沙和尚
猪八戒
观音菩萨
唐僧

彩图中国古典名著

西 游 记

出版发行:江苏少年儿童出版社
经　　销:江 苏 省 新 华 书 店
印　　刷:常 熟 市 印 刷 二 厂

开本 787×1092 毫米　1/24　印张 12　插页 4
1994 年 8 月第 1 版　　1999 年 3 月第 21 次印刷

ISBN 7—5346—1234—9

J·269　　定价:22.00 元
凡是印装问题,均向承印厂调换。

彩图中国古典名著

西游记

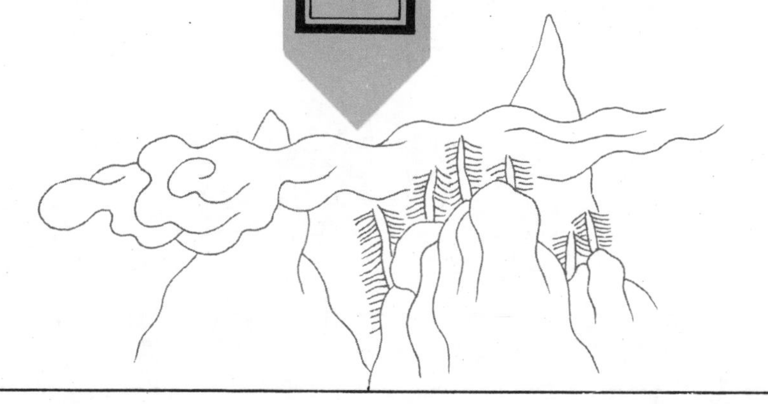

西游记

目录

西游记

目录

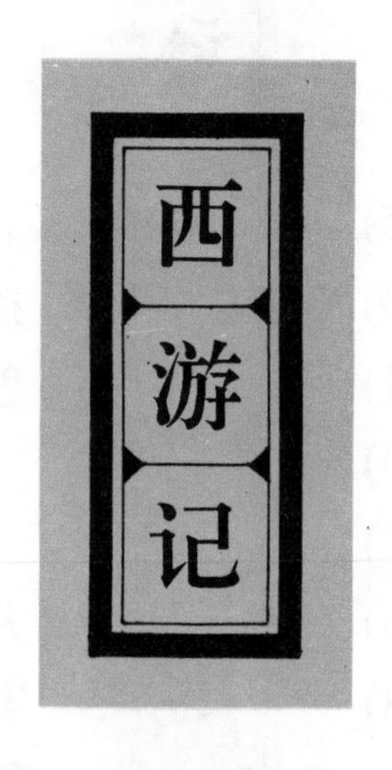

策划　宗华
编文　金根寿　袁雪洪　戚国强
装帧设计　冯忆南　封面绘画　时卫平
绘画　时卫平　凌青　时卫华　凌艳　张英
章松涛　李丽力　迟凌　王力平
文字编辑　俞伯洪　张玉培
美术编辑　尹其云

金猴出世

1　东海边有座山，名叫花果山。云雾缭绕，景色秀丽，仿佛一片神仙世界。

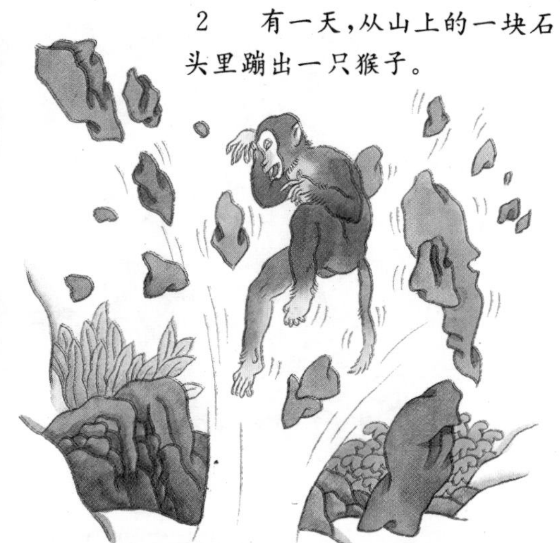

2　有一天，从山上的一块石头里蹦出一只猴子。

3　这猴子就是孙悟空，出世后就会行走跳跃，没过几天，就和山上的猴子成了朋友。

4　这天，猴子们来到一条河里洗澡。突然，那石猴发现半山腰有个水帘洞。

5　石猴爬到半山腰，钻进水帘洞，只见洞里有石锅、石灶、石床，是个理想的住所。

6　石猴非常高兴，带着猴子们一起住进水帘洞。猴子们为了感谢石猴，一起称它为大王。

7　猴子们白天去采果子，晚上就住在水帘洞，过得十分快活。

8　几年过去了，有一天，石猴听说东海有个仙人，会长生不老术，就想去学道。

9　石猴带领猴子们砍来一棵大树，做成一只木筏。

10　这天，石猴告别群猴，乘了这只木筏，前往东海去学道求仙。

11　经过几个月的漂流，石猴来到一座山前，那山挺拔秀丽，景色十分优美。

12　石猴想：那仙人说不定就住在这山上，于是上了岸，直往山上走去。

13　走了一会，石猴看见有个樵夫正在砍柴，就走上前去询问。

14　樵夫告诉石猴，这山叫灵吉方寸山，山上有个三星洞，洞里有个神仙叫菩提祖师。

15　石猴告别樵夫，来到三星洞前，见洞门紧闭，就站在外面高声喊叫。

16　过了一会，洞门开了，一个仙童走出来了。他问了一下石猴，把石猴领进山洞。

17　石猴见了菩提祖师，连忙跪下磕头，要求菩提祖师收他做徒弟。

18　菩提祖师见石猴非常诚恳，答应收他做徒弟，又给他取名叫孙悟空。

19　菩提祖师掐指一算，知道孙悟空以后要保护唐僧西天取经，决定把最好的武艺传给他。

20　菩提祖师先教孙悟空七十二变，又把筋斗云教给孙悟空，这筋斗云一翻可以飞去十万八千里。

21　孙悟空学武非常勤奋，三年下来，已经掌握了七十二变和筋斗云。

22　一天，孙悟空和师兄师弟们在一起玩耍，师兄师弟要孙悟空表演七十二变。

23 孙悟空听了，抖擞精神，念动咒语，摇身一变，变成了一棵大松树。

24 师兄师弟见了，齐声喝彩。菩提祖师听见后走了出来。

25 孙悟空一见，忙显出原形，跪在地上请求师父原谅！

26　菩提祖师把孙悟空叫到室内，对他说："悟空，你本领已学成，回花果山去吧！"

27　孙悟空含泪告别师父，翻了一个筋斗云，腾云驾雾往花果山去了。

28　没有一会儿工夫，孙悟空就回到了花果山。他高兴地大声呼喊猴子们。

1　孙悟空刚到花果山，猴子们全都跑来了。它们把孙悟空紧紧地包围起来。

2　猴子们七嘴八舌地告诉孙悟空说："自从大王走了以后，有个妖怪霸占了水帘洞。"

3　有个猴子告诉孙悟空，那魔王不仅霸占了水帘洞，还抓走了许多弟兄。

4　孙悟空听了，气得大叫一声，带着猴子们一起向水帘洞奔去。

5　来到水帘洞前，孙悟空见到山坡上有几个小妖。孙悟空拎起一个小妖，扔进河里。

6　其他的小妖见了，忙跑进洞去报告魔王。魔王一听，怒冲冲地跑了出来。

7　魔王身穿盔甲，手提大刀，站在山坡上大喊："哪个泼猴，敢来欺侮我的儿孙？"

8　孙悟空纵身一跳，跳到魔王面前说道："你这魔头，竟敢霸占水帘洞，快滚开！"

9　魔王见孙悟空身高不满四尺，赤手空拳，便哈哈大笑："你这小毛猴，竟敢和我大王作对！"

10　魔王对孙悟空说："你这小毛猴，赤手空拳，我拿武器胜了也不算英雄。"

11　魔王说完放下大刀，赤手空拳扑向孙悟空，想把孙悟空一下逮住。

12　孙悟空虽然个子小，却力大无穷，他轻轻一拳，就把魔王打翻在地。

13　孙悟空一脚踢倒魔王，
对着魔王又是几拳，打得魔王连连求饶。

14　最后，魔王乖乖地放出小猴子，退出水帘洞。猴子们一起欢呼起来。

15　孙悟空回花果山后，带着猴子们天天操练，可自己始终找不到一件如意的兵器。

16　有个小猴子告诉孙悟空，东海龙宫里有各种各样的兵器，何不到龙宫里找一件兵器？

17　孙悟空一听，非常高兴，连忙跳进河里，使出避水法，直向东海龙宫游去。

18　东海龙王见孙悟空来了，走出龙宫，亲自把孙悟空请到龙宫。

19　孙悟空对龙王说：“听说龙宫里有许多兵器，请龙王送一件给我！”

20　龙王叫虾兵取来一把大刀，孙悟空掂了掂说：“太轻，太轻，望龙王另外送一件给我！”

21　龙王又叫蟹将抬来一把九股叉，孙悟空接在手中，又说："太轻，还是太轻！"

22　龙王有些为难："这叉有七千两百斤重，龙宫中再也没有比这叉更重的兵器。"

23　正在龙王为难的时候，龙婆对龙王说："天河底有块神珍铁，拿来给孙大仙试试。"

24　这是一根如意金箍棒，重一万三千五百斤，能缩小到一根绣花针大小。孙悟空看后非常满意。

25　孙悟空拿了如意金箍棒来到龙宫，手拿金箍棒，在龙宫玩耍起来。

26　孙悟空又提出要一件衣服，龙王只好设法给他一件盔甲。孙悟空穿上盔甲，十分威武。

27　龙王见了吓得目瞪口呆，他忙设宴招待孙悟空，然后把孙悟空送出龙宫。

28　孙悟空拿着金箍棒，钻出水面，回花果山去了。

1　孙悟空到龙宫取宝的事被玉皇大帝知道了，玉皇大帝非常生气，要派兵捉拿孙悟空。

2　太白金星忙对玉皇大帝说："我们先招安，给他当个官，如果不行，再派兵捉拿也不迟。"

3　玉皇大帝听了太白金星的话，派太白金星去招安，太白金星奉命来到了花果山。

4　孙悟空在地上玩腻了，正想上天玩玩，见太白金星来请自己，非常高兴，忙跟上天去。

5　玉皇大帝封孙悟空当了个“弼马温”，孙悟空整天在马厩里忙碌，把马养得膘肥体壮。

6　后来，孙悟空听说“弼马温”是个养马的小官，气呼呼地回到花果山，自封为“齐天大圣”。

7　玉皇大帝一生气，封托塔李天王为降魔大元帅，带领天兵天将到花果山捉拿孙悟空。

8　天兵天将哪是孙悟空的对手，连本领高强的哪吒太子也败下阵去。

9　李天王只好灰溜溜地领着天兵天将逃回天宫，向玉皇大帝报告。

10　玉皇大帝没有办法，只好封孙悟空做了“齐天大圣”，但只给他一个空官衔。

11　孙悟空当了“齐天大圣”后，闲着无事，除了习武，整天东逛西游，和神仙喝酒取乐。

12　玉皇大帝恐怕孙悟空到处惹事，就派孙悟空去看守蟠桃园。

13　这蟠桃，吃了能长生不老。一天，孙悟空躲在园里，把熟的桃子吃掉一大半。

14　过了几天，王母娘娘要在瑶池开蟠桃盛会，派七仙女去采仙桃。

15　孙悟空听说王母娘娘开蟠桃盛会没有请他，非常生气，跳出蟠桃园，直奔瑶池。

16　孙悟空来到瑶池前，只见瑶池里放满了百味八珍，玉液琼浆。

17　孙悟空馋得直淌口水，不管三七二十一，把这些东西吃得精光。

18　孙悟空一不做，二不休，又来到太上老君住的地方，把太上老君炼成的仙丹吃掉了。

19　孙悟空知道自己闯了大祸，一个筋斗返回了花果山。

20　王母娘娘没有开成蟠桃盛会，太上老君的仙丹被偷吃掉，他们一起向玉皇大帝告状。

21　玉皇大帝气坏啦！他又让托塔李天王带领天兵天将去捉拿孙悟空。

22　李天王带着哪吒太子、二十八宿将及十万天兵，把花果山围得水泄不通。

23　李天王先派四恶星将出战，四恶星将来到洞口，高叫道："孙悟空，你这泼猴，快出来受死。"

24　一群小猴忙向孙悟空报告，孙悟空手拎金箍棒，奔出洞口，把四恶星将打得丢盔弃甲。

25　李天王忙叫二十八宿将一齐出战，二十八宿将围住孙悟空，从早上一直打到天黑。

26　第二天，托塔李天王带着哪吒及二十八宿将，和孙悟空大战起来。

27　孙悟空使出浑身解数，抵住了李天王、哪吒太子及二十八宿将的轮番进攻。

28　最后，孙悟空拔下毫毛，变出无数个孙悟空，把天兵天将打得大败而逃。

二郎神大战孙大圣

1　玉皇大帝见托塔李天王求援，急忙派自己的外甥二郎神杨戬去帮助李天王。

2　二郎神奉了调兵旨意，召唤了自己的几个弟兄，带了一千神兵，来到花果山。

3　李天王忙出来迎接二郎神，二郎神也会七十二变，他决心和孙悟空斗变法。

4　二郎神来到水帘洞前挑战，孙悟空跳出洞，和二郎神大战起来。

5　孙悟空和二郎神大战三百回合，可还是不分胜负。

6　二郎神抖擞神威，摇身一变，变得身高万丈，举起三尖两刃枪，向孙悟空杀去。

7　孙悟空一见，忙使出七十二变化，变得和二郎神一样大，又和二郎神大战起来。

8　就在孙悟空和二郎神大战的时候，天兵们冲进水帘洞，把小猴子杀得四处逃窜。

9　孙悟空心慌了，摇身一变，变成一只小麻雀，飞到一棵小树的树梢上。

10　二郎神一见，忙四处观看，见孙悟空变成一只小麻雀，忙变成老鹰扑向小麻雀。

11　孙悟空一见，忙变成一条小鱼，钻进河里。二郎神变成一只鱼鹰，站在水面上。

12　孙悟空见二郎神变成鱼鹰，忙变成一条蛇，向岸边游去。

13　二郎神又变成一只灰鹤，伸出尖嘴，前来吃水蛇。孙悟空忙变成一只乌鸦。

14　二郎神显出原形，拿出了箭，“嗖”的一箭，射向那乌鸦。

15　孙悟空一见，忙显出原形，一个筋斗，一直来到二郎神的老家——灌江口。

16　孙悟空来到灌江口，摇身一变，变成二郎神的模样，坐在二郎神的太师椅上。

17　二郎神见孙悟空到灌江口，连忙赶到灌江口，又和孙悟空打了起来。

18　这时，玉皇大帝和太上老君、观音等许多神仙一起来到南天门，观看二郎神大战孙大圣。

19　太上老君看了一会说："看我来帮助二郎神一下。"说完，从左袖子里取出一个金刚圈。

20　太上老君把金刚圈往下一丢，那金刚圈不偏不倚，正好打在孙悟空的头上。

21　孙悟空只顾苦战二郎神，冷不防被金刚圈打了一下，一下子跌倒在地。

22　二郎神身边的神犬见了，扑上去狠狠咬了孙悟空一口。天兵们一拥而上，把孙悟空捆了起来。

23　二郎神押着孙悟空，和李天王等一起，带着天兵天将回到了天上。

24　玉皇大帝命令天兵天将把孙悟空绑在降妖柱上，要把孙悟空碎尸万段。

25　天兵天将用刀砍，用剑刺，用棍棒打，可都伤不了孙悟空的一根毫毛。

26　原来，孙悟空因为偷吃了蟠桃和太上老君的仙丹，已经炼成了金刚之身。

27　太上老君一见，对玉皇大帝说："不如把孙悟空放在八卦炉里炼，把他烧成灰。"

28　玉皇大帝一口答应。天兵天将把孙悟空推到了八卦炉里。

1　太上老君命令仙童点起炉火，又让几个仙童轮流往炉里扇风，把炉火烧得旺旺的。

2　孙悟空被推到八卦炉里后，连忙钻到风口处，虽然炉火很旺，可风口处却一点火也没有。

3　一直炼了七七四十九天，太上老君估计孙悟空已经烧成了灰，让仙童把炉门打开。

4　孙悟空在八卦炉里受够了罪，见炉门一开，连忙跳了出来，一脚把八卦炉踢翻了。

5　孙悟空又从耳朵里掏出如意金箍棒，喊了声“变”，那如意金箍棒变得有碗口粗。

6　孙悟空手拿如意金箍棒，四处乱打，把天兵天将打得四处乱窜。

7　孙悟空打得兴起，一路打来，一直打到玉皇大帝住的灵霄殿。

8　玉皇大帝急坏了，慌忙派人到西天去请如来佛来收服孙悟空。

9　如来佛听说后，立即带了两名尊者离开雷音殿，来到天宫。

10　灵霄殿前，三十六雷将正在大战孙悟空，双方打得难分难解。

11　如来佛叫众雷将停手，又把孙悟空叫到面前问道："你这猴子，为什么要大闹天宫？"

12　孙悟空说："如果让我做玉皇大帝，我就不再闹，否则我让天宫永不太平！"

13 如来佛听后哈哈一笑："你有什么能耐，竟敢要占据天宫，当玉皇大帝！"

14 孙悟空得意地说："我的能耐可大啦！能七十二变化，还能腾云驾雾！"

15 如来佛对孙悟空说："你能一个筋斗翻出我手掌，就让你当玉皇大帝。"

16 孙悟空看了看如来佛的手掌，心想：这手掌这么小，我一个筋斗就是十万八千里，怎会翻不出他手掌？

17　孙悟空满口答应，把如意金箍棒放在耳朵里，纵身一跳，跳到如来佛的手心上。

18　孙悟空使出神威，接连翻了几个筋斗，看见前面有五根撑天柱。

19　孙悟空心想：这可能已经到了天边了，我在这里解个小便，也好留个记号。

20　孙悟空又拔根毫毛，变成一支笔，在撑天柱上写了“齐天大圣，到此一游”几个字。

21　孙悟空一个筋斗，返回原来的地方，又站在如来掌内道：“我已回来了，你让我当玉皇大帝。”

22　如来骂道：“你这个泼猴，你根本没有逃出我手掌，低下头看看。”

23　孙悟空低头一看，只见如来佛的手指上写着“齐天大圣，到此一游”，不禁大吃一惊。

24　孙悟空又想纵身跳去，如来佛翻掌一扑，五手指变成五行山，把孙悟空压住。

25　孙悟空被压在山下，拼命挣扎，想掀翻大山。

26　如来佛见孙悟空的头伸出来了，就写了张帖子，叫徒弟贴在山顶。

27　那帖子法力无边，贴在山顶上，五行山像生了根似的，不管孙悟空如何挣扎，一动也不动。

28　如来佛对土地山神说："五百年以后，你可把孙悟空放出来，帮助唐僧到西天取经。"

悟空拜师

1　五百年以后，唐太宗派唐僧到西天去取经。

2　唐僧领旨以后，穿了袈裟，拿了九环锡杖，辞别唐太宗，一路往西而去。

3　这一天，唐僧来到五行山前，只听到山下传来一声叫喊："师父救我！"

4　唐僧来到山下，只见山脚下露出一个猴头朝他乱喊："师父快救我，我保护你上西天取经。"

5　唐僧显得有些为难，说："我没斧没刀，怎么能救你出来呢！"

6　孙悟空对唐僧说："师父只要到山顶把帖子揭掉，我自己会出来的。"

7　唐僧听后，一步步朝山顶走去，果然见到有张金字帖压在山顶。

8　唐僧走上前，轻轻一揭，把金字压帖揭掉，这时，突然刮来一阵风，帖子直往天上飘去。

9　孙悟空见帖子揭掉了，高兴地对唐僧喊道："师父你走远些，让我自己出来。"

10　唐僧往后退了七八里，只听见传来一阵惊天动地的响声，孙悟空从山里蹦了出来。

11　孙悟空来到唐僧面前，跪下磕头："师父，我出来了！"唐僧给他取名为孙行者，两人一道上路。

12　走了没有多远，前面走来一只老虎，唐僧慌了，孙悟空走上前，一棒就把老虎打死了。

13　孙悟空把虎皮剥下当衣服，又把如意金箍棒放在耳朵里，和唐僧一起往西天走去。

14　几天后，唐僧和孙悟空来到一座森林边，突然，从森林里跳出几个强盗，来抢行李。

15　孙悟空大怒，抡起金箍棒一顿乱打，把几个强盗全都打死了。

16　唐僧一见，非常生气，说："你怎么不分青红皂白，把人全都打死，这样无故伤人怎么当出家人！"

17　孙悟空最不能受气，见唐僧在唠唠叨叨地说自己，又生气又委屈，转身往回走去。

18　唐僧见孙悟空走了，只好牵着马，拿着行李，独自往西走去。

19　走了一会，唐僧看见路边站着一个老太婆，这老太婆是观音菩萨变的。

20　观音把一件衣服和一顶帽子交给唐僧，要唐僧给孙悟空穿上，又教了唐僧一篇“紧箍咒”。

21　观音对唐僧说：“这顶帽子戴到头上，就会变成一道金箍，孙悟空再不听话，你就念紧箍咒。”

22　孙悟空走了一段路，想想不对头，又转回来，见唐僧一个人闷坐在路边，走上前喊了声“师父”。

23　孙悟空见唐僧身边有一件衣服和一顶帽子，兴冲冲地穿上衣服，戴上帽子。

24　说也奇怪，那帽子刚戴到头上，就变成一圈金箍，扯不动，拉不下，像生了根似的。

25　唐僧试着念了一遍紧箍咒，悟空头痛得像针扎似的，磕着头直喊饶命。

26 唐僧见孙悟空万分痛苦，立即停止念紧箍咒，孙悟空头不痛了。

27 孙悟空这下老实了，他对唐僧说："师父，我以后再也不敢冒犯你了。"

28 孙悟空收拾好行装，牵着马，又保护唐僧一起去西天取经。

1　唐僧和孙悟空一路向西走去，这天，他们两人来到一条大河边。

2　突然，从河里蹿出一条大白龙，那白龙把唐僧的马吞下了肚。

3　孙悟空大怒，使出翻江倒海的本领，把河水搅得波涛汹涌。

4　那条龙生气了，从河里蹿出来，张开血盆大嘴，要去吃孙悟空。

5　孙悟空抡起金箍棒，对准那龙的龙头，狠狠地打了下去。

6　正在这时，观音菩萨来了，那白龙见了，立即变成一个小伙子，跪拜观音。

7　原来，这条白龙本是西海龙王的儿子，因触犯了天条，被贬成了一条白龙。

8　观音叫白龙变成一匹白马，给唐僧当坐骑，陪同唐僧去西天取经，将功赎罪。

9　唐僧、孙悟空和白马告别观音菩萨，继续往西天去取经。

10　这天傍晚，唐僧师徒来到一个村庄，这个村庄名叫高家庄，他们到一家人家住宿。

11　这家主人叫高老太公，他的女儿三年前被一个妖精霸占，高老太公为此大伤脑筋。

12　孙悟空对高老太公说："老公公，你放心，今天我一定抓住妖精，把女儿还给你。"

13　当天晚上，孙悟空变成了高老太公的女儿，睡在房里，半夜里，那妖怪来了。

14　那妖怪一进屋，孙悟空立即现出原形，大声喊道："好妖怪，你往哪里走，看看我是谁！"

15　那妖怪原是天上的天蓬元帅，他认出眼前就是当年大闹天宫的孙悟空，转身就逃。

16　那妖怪转身化作一阵狂风拼命逃跑，孙悟空腾云驾雾，直向那妖怪追去。

17　来到一座山上，那妖怪钻进一个山洞，从洞中拿出一把九齿钉耙，对准孙悟空打去。

18　斗了几个回合，那妖怪根本不是孙悟空的对手，就慌了手脚。

19　那妖怪把钉耙一丢，破口大骂："你这个弼马温，跑到这里来坏我的好事，干吗？"

20　孙悟空对他说："我老孙已经改邪归正，保护东土大唐高僧前往西天取经。"

21　那妖怪一听，一把拉住孙悟空说："你快带我去见那位取经人。"

22　孙悟空感到十分奇怪，问道："你要见那位取经人干什么？"

23　那妖怪说："观音菩萨教我陪取经人前往西天取经，将功折罪，终成正果。"

24　孙悟空把那妖怪带到高老太公家，那妖怪向高老太公赔礼后，急忙跑到唐僧面前。

25　唐僧给那妖怪取了个法名叫猪八戒，猪八戒很喜欢，又拜孙悟空为师兄。

26　几天后，唐僧、孙悟空、猪八戒一行来到流沙河，孙悟空又收服了一个妖怪，名叫沙和尚。

27　这沙和尚原是玉皇大帝的卷帘大将，因触犯天规，被贬到人间。

28　唐僧收沙和尚做了徒弟。师徒四人一行高高兴兴地往西天取经去了。

偷吃人参果

1　唐僧师徒四人来到万寿山。万寿山松青花香，真美啊！

2　万寿山顶有座庙，庙里住着一位神仙，名叫镇元大仙。

3　这天，镇元大仙接到元始天尊的请帖，到元始天尊那儿赴宴去了。

4　唐僧一行来到庙门前，庙里走出两个童子，一个叫明月，一个叫清风，把他们迎到庙里。

5　过了一会，明月和清风从树上摘来两个人参果，献给唐僧吃。

6　那人参果像个小孩，唐僧见了，战战兢兢地说："这是个小孩，我怎么能吃！"

7　明月对唐僧说："这人参果，要长九千年，吃一个，就能活到四万七千岁！"

8　可是，不管明月怎么说，唐僧就是不肯吃，最后，明月和清风只好把人参果拿走了。

9　孙悟空和猪八戒见了，馋得口水直淌，夜里，孙悟空悄悄地来到院子里。

10　那人参果树有几百丈高，孙悟空蹿上树，摘了三个悄悄回到屋里。

11　第二天，明月，清风见人参果被偷掉三个，就去找唐僧告状。

12　唐僧很生气，把孙悟空找来，狠狠地训了一顿。

13　孙悟空一气之下，跑到院子里，抡起金箍棒，把人参果统统打落在地。

14　孙悟空打得性起，干脆把人参果树也连根拔掉了。

15　孙悟空知道闯了大祸，连忙收拾行李，保护唐僧往西而去。

16　正在这时，镇元大仙回来了，他见孙悟空把人参果树弄坏了，非常生气。

17　镇元大仙腾云驾雾，赶上唐僧师徒四人，挡住了他们的去路。

18　唐僧忙走上前，向镇元大仙赔礼，镇元大仙要孙悟空把人参果树救活，才放他们走。

19　孙悟空大怒，取出如意金箍棒，对准镇元大仙打去。

20　镇元大仙法力无边，他袖子一展，一招“袖里乾坤”，把孙悟空抓住了。

21　镇元大仙又把唐僧、猪八戒、沙和尚统统抓住，和孙悟空一起绑在柱子上。

22　夜里，孙悟空救了唐僧、猪八戒、沙和尚，连夜逃出万寿山。

23 镇元大仙又把他们抓回来，孙悟空没办法了，只好答应救活人参果树。

24 孙悟空一个筋斗，来到蓬莱仙岛，寻找医树的良方。

25　居住在蓬莱仙岛的寿星没有医树的良方，孙悟空又一个筋斗来到方丈仙山。

26　方丈仙也没有办法，最后，孙悟空只好去找观音菩萨。

27　观音和孙悟空来到万寿山，观音菩萨用“甘露水”救活了人参果树。

28　镇元大仙十分欢喜，开了个“人参果会”，并和孙悟空结为兄弟。

1　唐僧师徒四人离开万寿山，走了几天，来到一座荒山。

2　唐僧觉得肚子有些饿了，叫孙悟空去化些斋饭来。

3　悟空答应一声，拿起钵盂，一个筋斗，跳上云端。

4　孙悟空抬头四下观望，见南面一座山上有 片桃林，树上结满了桃子。

5　孙悟空腾云驾雾，来到那座山上，采摘桃子。

6　荒山上有个妖怪，名叫白骨精，早就知道唐僧要来，一心想吃唐僧肉。

7　白骨精见孙悟空化斋去了，摇身一变，变成一个漂亮的年轻姑娘。

8　白骨精一手拎着饭，一手拎着菜，慢慢地走到唐僧他们面前。

9　白骨精见了唐僧，把饭放在地上，一定要请唐僧他们吃饭。

10　唐僧一边合掌感谢一边推辞，猪八戒早就馋得淌口水，端起饭罐就要吃。

11　白骨精一边假惺惺送饭，一边想暗中把唐僧抓走。正在这时，孙悟空回来了。

12　孙悟空一眼认出白骨精，放下钵盂，举起金箍棒，对准白骨精当头就打。

13　白骨精使个“解尸法”，把假尸首留在地上，自己化作一股青烟溜走了。

14　唐僧认为孙悟空无故打死好人，十分生气，要把孙悟空赶走。

15　孙悟空跪在地上苦苦哀求，唐僧答应留下他，但要孙悟空不再行凶杀人。

16　白骨精逃走以后，又变成个老太婆，手拄拐杖，朝唐僧他们走去。

17　白骨精走到唐僧面前，说地上躺着她的女儿，放声痛哭，唐僧也伤心得暗暗掉泪。

18　孙悟空知道这老太婆又是白骨精变的，举起金箍棒就打。

19　白骨精刮起阴风逃走了，路边只留下了一具老太婆的尸首。

20　唐僧见孙悟空又把老太婆打死，念起紧箍咒，孙悟空痛得在地上直打滚。

21　唐僧又要把孙悟空赶走，孙悟空苦苦哀求。沙和尚也帮着说情，唐僧才勉强答应留下孙悟空。

22　白骨精两次都没有成功，哪里肯罢休，又摇身变成一个老头。

23　那老头手拄拐杖，站在山坡上，一边念经，一边哭泣。

24　唐僧见了，急忙行礼问道："老人家，你有什么伤心的事？"

25　老头说："我女儿上山送饭，不见回来，老太婆前去寻找，结果都被歹徒打死了。"

26　孙悟空在一旁见了，满腔怒火，迅速拔出金箍棒，一下把白骨精打死了。

27　唐僧见孙悟空一连打死三人，十分生气，不管孙悟空怎么哀求，一定要把孙悟空赶走。

28　孙悟空没有办法，跪下朝唐僧拜了三拜，飞回花果山去了。

黑松林遇妖

1　唐僧赶走孙悟空以后，和猪八戒、沙和尚继续往西赶路。

2　几天后，他们来到一片黑松林边，那片黑松林阴森森，非常怕人。

3　黑松林里有个黄袍怪。黄袍怪知道唐僧来了，非常高兴，一心想抓住唐僧。

4　唐僧叫猪八戒去化斋饭，自己和沙和尚坐在树林边休息。

5　猪八戒拿了钵盂，走出树林前去化斋饭，走了几里路，也没有化到斋饭。

6　猪八戒一边走一边埋怨，最后躺在一块草地上睡着了。

7　唐僧见猪八戒去了半天没回来，很着急，叫沙和尚去寻找猪八戒。

8　正在这时，黄袍怪来了。他抓住唐僧，欢欢喜喜地回到山洞去了。

9　沙和尚找了十几里路，才在草地上找到了正在呼呼大睡的猪八戒。

10　沙和尚一把揪住猪八戒的耳朵，大声喊道："师兄，师父还在等你化的斋饭呢！"

11　猪八戒揉揉眼睛，爬了起来，两个人一起去化斋饭。

12　等他们化了斋饭，回到树林边时，唐僧不见了。

13　猪八戒和沙和尚急坏了，四处寻找唐僧。

14　找啊找啊，他们见到一座宝塔，门上刻着六个大字：碗子山波月洞。

15　猪八戒拼命敲打洞门，有个小妖前来开门，见了猪八戒，忙去通知黄袍怪。

16　黄袍怪来到洞口，和猪八戒、沙和尚大战起来。

17　黄袍怪本领高强，猪八戒、沙和尚哪是他对手，结果，沙和尚被抓住，猪八戒逃走了。

18　唐僧被抓进山洞后，被绑在一根柱子上。这天夜里，有个女人悄悄来到唐僧身边。

19　这女人原是宝象国的公主，三年前被黄袍怪抢进了山洞。

20　公主放了唐僧，要唐僧到宝象国报信，让国王派兵来救自己。

21　唐僧来到宝象国，把情况告诉了国王。国王非常伤心，准备派兵前去救公主。

22　黄袍怪知道后，马上变成一位俊俏的年轻人，来到了宝象国。

23　唐僧和宝象国的国王正在商量前去解救公主，这时，黄袍怪来了。

24　黄袍怪说唐僧是抢走公主的妖怪，并使出魔法把唐僧变成一只老虎。

25　国王吓得胆战心惊，几个大胆的武将冲上去，把变成老虎的唐僧捆了起来。

26　国王设宴感谢黄袍怪。黄袍怪喝醉了酒，显出了妖怪的原形。

27　猪八戒想去救师父，可想到自己不是黄袍怪的对手，一点儿办法也没有。

28　想来想去，猪八戒只好硬着头皮，前往花果山去请孙悟空帮忙。

1　猪八戒腾云驾雾，来到花果山，只见孙悟空正在和一群猴子玩耍。

2　孙悟空假装不认识猪八戒，叫小猴子把猪八戒抓了起来。

3　小猴子们把猪八戒抬到孙悟空面前，孙悟空叫小猴子拿棍子来打猪八戒。

4　猪八戒见了，又急又怕，大声叫道："你这猴头，连我老猪也不认识啦！"

5　猴子们拿来了棍子，猪八戒吓得连连求饶："师兄，看在师父的面上饶我一回。"

6　孙悟空这才让猴子们放了猪八戒，连忙询问唐僧的情况。

7　猪八戒说了唐僧被黄袍怪抓去的经过，又编了一套黄袍怪骂孙悟空的话。

8　孙悟空一听，气坏啦！他想早一点去救唐僧，马上拉着猪八戒就走。

9　孙悟空和猪八戒携手驾云而去。两人过了东洋大海，来到了黑松林。

10　这时，黄袍怪还在宝象国，孙悟空一阵乱打，把小妖们打得四处逃窜。

11　孙悟空来到山洞，救出了沙和尚，又放了宝象国的公主。

12　有几个小妖怪跑到宝象国，报告了黄袍怪。黄袍怪一听，连忙赶回山洞。

13　黄袍怪来到洞口，碰上了猪八戒和沙和尚，同猪八戒、沙和尚打了起来。

14　你来我往，打了几十个回合，猪八戒和沙和尚虚晃一下，逃走了。

15　黄袍怪得胜了，非常高兴，欢欢喜喜地走进山洞。

16　这时，孙悟空变成宝象国的公主，前来迎接黄袍怪。

17　黄袍怪见了宝象国的公主，真高兴啊，拉着公主的手一起走进洞里。

18　孙悟空假装有些心痛，黄袍怪见了，忙拿出一个宝贝交给孙悟空。

19　孙悟空接过宝贝，把脸一抹，立即显出了本来的模样。

20　那黄袍怪一见，愣了一下，说："你是什么人，我好像在什么地方见过你。"

21　孙悟空说："我就是当年大闹天宫的齐天大圣，你这妖怪，竟敢抓我师父。"

22　孙悟空取出金箍棒，对准妖怪打去。黄袍怪大战孙悟空。

23　大战几十回合后，孙悟空对准黄袍怪当头一棍。黄袍怪抵挡不住，逃得无影无踪。

24　孙悟空心想：那妖怪说认得我，说不定是天上下来的妖精，我上天查一查。

25　孙悟空一个筋斗来到南天门，一查，那黄袍怪果然是天上二十八宿星的奎星。

26　玉帝派神仙下凡，降伏了黄袍怪，将他带到天上去了。

27　孙悟空、猪八戒、沙和尚来到宝象国，救出了唐僧。

28　宝象国国王非常感谢唐僧师徒四人，亲自把他们送出宝象国。

1 唐僧、孙悟空、猪八戒、沙和尚四人离开宝象国，几天后，来到了平顶山。

2 平顶山上有个莲花洞，莲花洞里有两个妖怪，哥哥叫金角大王，弟弟叫银角大王。

3 金角大王和银角大王的本领十分高强，还有个宝葫芦，法力无边。

4 金角大王知道唐僧来到平顶山，忙和银角大王商量捉拿唐僧。

5　　孙悟空为了保护唐僧，就叫猪八戒前去巡山探路。

6　　猪八戒很不高兴，可又没有办法，只好扛着钉耙，气呼呼地巡山去了。

7　　孙悟空变成一只小虫，叮在猪八戒耳朵后面，看猪八戒会不会偷懒。

8　那山路真难走啊！猪八戒走了一会儿，累得腰酸背痛，一头倒在地下。

9　不一会儿，猪八戒就睡着了，呼噜呼噜地打起鼾来。

10　孙悟空见猪八戒睡着了，变成一只啄木鸟，在猪八戒脸上啄了几下。

11　猪八戒被啄醒了，气得举起九齿钉耙，追着啄木鸟打。

12　猪八戒追累了，见到前面有块石头，又在石头上睡起觉来。

13　孙悟空又变成小虫，咬得猪八戒浑身发痒，气得他只好站了起来。

14　猪八戒自言自语地编谎话，准备回去骗孙悟空。谎言全给孙悟空听到了。

15　猪八戒回到唐僧面前，说了一通谎话，可全被孙悟空戳穿了。

16　猪八戒这才知道孙悟空一直跟着自己，只好红着脸皮再去巡山探路。

17　这次猪八戒怕孙悟空又跟着自己，再也不敢偷懒了。

18　猪八戒走到半山腰，碰到一群妖怪，领头的正是银角大王。

19　那妖怪认得猪八戒，抽出七星剑就砍，猪八戒举起九齿钉耙就打。

20　战了几十回合，猪八戒打不过，被银角大王一把抓住了。

21　银角大王叫小妖怪抬着猪八戒进了山洞。

22　唐僧见猪八戒去了半天没回来，就叫孙悟空去找猪八戒。

23　孙悟空来到半山腰，碰到一个断腿老道人，那老道人是银角大王变的。

24　唐僧叫孙悟空背着断腿老人走，孙悟空认出断腿老人是妖怪，想把妖怪摔死。

25　银角大王使出移山倒海的法术，用三座大山把孙悟空压住。

26　银角大王见孙悟空被压住，乘机抓住了唐僧和沙和尚。

27　金角大王见银角大王抓回了唐僧，非常高兴，设宴为银角大王庆功。

28　银角大王一边喝酒，一边对金角大王说："等我抓住孙悟空后，再吃唐僧肉。"

1　银角大王喝完酒，带着一群小妖，拿着宝葫芦，去找孙悟空。

2　孙悟空被银角大王用山压住后，念动咒语把山移回原处。

3　孙悟空把山移走后，爬起来，连忙去寻找唐僧。

4　走了一会儿，正好碰上银角大王，两人又大战起来。

5　两人大战了几百回合，不分胜负。银角大王见不能取胜，从腰里解下宝葫芦。

6　银角大王把宝葫芦对准孙悟空，高喊一声：“孙悟空！”

7　银角大王的话刚完，忽的一下，孙悟空一下子被吸进了宝葫芦里。

8　银角大王把葫芦盖盖上，拿着葫芦，回到山洞去了。

9　这葫芦是个宝贝，只要被装在里面半个小时，人就会化成脓血。

10　过了一会儿，银角大王揭开盖子，孙悟空从葫芦里跳出来，化作一道金光走了。

11　孙悟空逃出山洞，想来想去，想出一个好办法。

12　孙悟空摇身一变，变成一个小虫子，悄悄地飞进山洞里。

13　孙悟空来到银角大王的房间，拔出根毫毛，变成个假葫芦，把真葫芦拿走了。

14　孙悟空拿着真葫芦跑出山洞，在洞口大叫：“妖怪，你快出来受死。”

15　小妖怪连忙报告银角大王，银角大王出了山洞，见了孙悟空，大吃一惊。

16　银角大王又拿出宝葫芦，连喊了几声，可孙悟空一动也不动。

17　孙悟空哈哈大笑，拿出了真的宝葫芦。

18　妖怪十分生气，大骂孙悟空："你竟敢偷我的宝贝。"

19　银角大王恶狠狠地拔出七星剑，朝孙悟空砍去。

20　孙悟空拔出金箍棒，和银角大王打了起来。

21　银角大王打不过孙悟空，一声令下，几百个小妖怪一拥而上，把孙悟空围在中间。

22　孙悟空拔下几根毫毛，放在嘴里嚼碎，喊声“变”，变出千百个小孙悟空。

23　小孙悟空个个奋勇，把小妖怪打得死的死，逃的逃。

24　银角大王一见慌了，急忙化作一道青烟逃走了。

25　孙悟空见了，一个筋斗，翻上云端，追上了银角大王。

26　孙悟空举起金箍棒对准银角大王打去，这时，太上老君来了。

27　原来，金角大王和银角大王是太上老君身边的两个童子。太上老君带着他们上天去了。

28　孙悟空来到山洞，救出了唐僧和猪八戒、沙和尚，继续往西取经。

比丘国救小孩

1　唐僧师徒四人离开莲花洞，几天后，来到了比丘国的京城。

2　真奇怪！京城里每户人家的门口都挂着一个鸟笼子。

3　孙悟空走近一看，只见每个鸟笼子里面都坐了一个小孩。

4　经过打听，孙悟空才知道，这件事是一个妖怪在搞鬼。

5　半年前，那妖怪变成一个老道人来到比丘国，不多久，这妖怪就深得国王的信任。

6　几天前，那妖怪使了个魔法，让国王得了一种奇怪的毛病。

7　那妖怪趁机对国王讲：他的病一定要用一千个小孩的心煎汤喝才能治好。

8　这些关在鸟笼的小孩，明天就要被送进王宫。孙悟空下定决心，要救出这些小孩。

9　当天晚上，孙悟空让猪八戒、沙和尚照顾唐僧，自己一人悄悄来到城里。

10　孙悟空从身上拔下一把毫毛，放在嘴里嚼碎，然后喊了声“变”。

11　顿时，这些毫毛变成许多小孙悟空，他们背着小孩飞到城外。

12　第二天一早，唐僧带着孙悟空、猪八戒、沙和尚前去见国王。

13　国王的身边，站着一个老道人，孙悟空一眼就看出他是妖怪。

14　正在这时，有个士兵跑来报告国王，城里的小孩一夜之间全不见了。

15　国王一听，非常着急。妖怪告诉国王，用唐僧的心煎汤喝，不但能治病，还可长生不老。

16　国王要唐僧把心挖出来。唐僧吓得脸色发白，浑身直冒汗。

17　孙悟空忙吹口仙气，把唐僧变成自己的模样，自己变成唐僧。

18　孙悟空对国王说："既然国王要我的心，我就把心挖出来献给你。"

19　孙悟空一刀剖开自己的肚子，里面一下滚出许多颗心来。

20　国王见唐僧肚里一下滚出这么多心来，吓得瘫在龙椅上。

21　那妖怪也吃了一惊，仔细一看，认出假唐僧是孙悟空变的。

22　那妖怪知道大事不好，连忙纵身跳上云端，逃走了。

23　孙悟空见妖怪逃走，立刻恢复原形，跳上天空，去追赶妖怪。

24　孙悟空追上妖怪，拔出金箍棒，向那妖怪打去。

25　妖怪忙拔出兵器，和孙悟空打了起来。

26　斗了几十个回合,孙悟空一棒打中妖怪脑袋,把妖怪打死了。

27　孙悟空回到王宫,这时,国王的病好了,他十分感谢孙悟空。

28　孙悟空又把小孩一个个放在每家门口,城里人一齐跪下,感谢孙悟空。

孙悟空做医生

1　朱紫国的国王得了重病，许多医生都治不好，国王只好贴出皇榜，寻找名医。

2　孙悟空使出隐身法，揭了皇榜，把皇榜塞 在猪八戒的怀里。

3　几个士兵把猪八戒接到王宫，猪八戒哪会治病，知道是孙悟空搞的鬼，叫人去请孙悟空。

4　文武百官排了队去请孙悟空，孙悟空和猪八戒一起来到王宫。

5　国王见了孙悟空和猪八戒的模样,吓得跌在龙床上,不敢见他们的面。

6　孙悟空拔出三根毫毛,变成三根丝线,用“悬丝诊脉”的方法给国王看病。

7　孙悟空诊完脉,叫医官买了许多药,送到他住的地方。

8　晚上,孙悟空取了几味药,碾成细末,又叫猪八戒刮了不少锅灰,用马尿拌了,做成药丸。

9　国王吃了药丸，上吐下泻。孙悟空又叫国王吃了些补药，没过几天，国王的病好多了。

10　国王十分感激，设宴招待唐僧师徒四人。猪八戒一连喝了八大碗酒。

11　国王一边给孙悟空倒酒，一边向孙悟空说出他得病的根源。

12　原来，朱紫国有座麒麟山，山上有个妖怪，自称赛千岁。

13　三年前，妖怪抢走了王后，国王受了惊，又日夜思念王后，所以得了病。

14　孙悟空决心救出王后。国王拿出一双黄金宝串，这是王后最喜欢的东西，交给孙悟空。

15　孙悟空带着黄金宝串来到麒麟山，和妖怪打了起来。

16　那妖怪有一个金铃，一摇，金铃里就能放出黄沙，人一碰到就死。

17　那妖怪打不过孙悟空，急忙拿出金铃一摇，无数黄沙朝孙悟空飞来。

18　孙悟空知道黄沙的厉害，一个筋斗跳上半空，躲过了黄沙。

19　孙悟空变成一只苍蝇去见王后，王后一见黄金宝串，决心帮助孙悟空。

21　孙悟空见妖怪把金铃系在衬衫上，拔根毫毛，变成跳蚤，钻到妖怪身上。

20　王后设宴请妖怪喝酒，孙悟空变成丫环站在旁边。

22　妖怪浑身发痒，脱了衣服，把金铃交给孙悟空，叫孙悟空给他捉跳蚤。

23　孙悟空把真金铃收好，又变个假金铃交给妖怪，悄悄出了山洞。

24　天一亮，孙悟空又到山洞前大吵，妖怪带着假金铃去打孙悟空。

25　妖怪拿出金铃一摇，可一点用也没有。孙悟空拿出金铃一摇，无数黄沙朝妖怪飞去。

26　妖怪大吃一惊，慌忙逃走。孙悟空一棒把妖怪打死了。

27　孙悟空打开洞门，救出王后，一个筋斗翻回王宫。

28　国王真高兴啊！请唐僧孙悟空他们喝酒，几天后，又亲自把他们送出城。

1　唐僧师徒四人来到一座山前，突然，从远处传来一阵呼救声："师父救人啊！"

2　唐僧勒住马头，四处寻找。孙悟空怕碰到妖怪，催唐僧快走。

3　孙悟空牵着马，继续往前走，一会儿，又听到了呼救声。

4　唐僧沿着声音找去，只见一个小男孩赤裸裸地吊在树上。

5　唐僧的慈悲心大发，赶紧走上去，把小男孩从树上放了下来。

6　唐僧叫孙悟空背着小男孩。孙悟空知道小男孩是妖怪，准备弄死他。

7　那妖怪见孙悟空背着自己，非常高兴，暗暗想办法想降服孙悟空。

8　那妖怪吸了几口气，吹在孙悟空背上，孙悟空顿时觉得有千斤重。

9　孙悟空越背越重，知道妖怪在捉弄他，气得把妖怪往石头上一摔。

10　妖怪化作一溜烟走了。唐僧见孙悟空摔死小孩，念起紧箍咒来。

11　紧箍咒一念，孙悟空痛得在地上直打滚。

12　妖怪在空中见了，趁机刮起一阵风，把唐僧抓走了。

13　原来这妖怪叫红孩儿，是牛魔王的儿子。

14　他把唐僧抓到火云洞，准备吃唐僧肉。

15　孙悟空、猪八戒、沙和尚见唐僧被红孩儿捉去，连忙赶到火云洞去救唐僧。

16　红孩儿正准备杀唐僧，见孙悟空来了，忙跑出火云洞。

17　孙悟空、猪八戒要红孩儿交出唐僧，红孩儿和他们打了起来。

18　红孩儿本领高强，和孙悟空战了数百回合不分胜负，猪八戒、沙和尚忙上前助战。

19　红孩儿打不过，念了个咒语，从鼻子里喷出一股火焰。

20　孙悟空见火焰来势凶猛，一个筋斗跳出火海。

21　猪八戒、沙和尚逃得慢，被红孩儿抓住了。几个小妖怪把猪八戒拖进火云洞。

22　孙悟空离开火云洞，一个筋斗来到东海龙王那儿。

23　孙悟空向东海龙王说明了来意，想借些龙兵，用水来浇灭妖火。

24　东海龙王一口答应了。孙悟空带着几千名龙兵，来到了火云洞。

25　红孩儿又和孙悟空打了起来。几十回合后，红孩儿张开嘴，喷出一团火焰。

26　龙兵见了，急忙下起了大雨。雨落在火焰上，那火焰不但不灭，反而越烧越旺。

27　烈火夹着浓烟朝孙悟空冲来，孙悟空又是一个筋斗逃走了。

28　红孩儿得胜了，他到了火云洞，准备把唐僧、猪八戒、沙和尚煮了吃。

1　为了救出唐僧、猪八戒、沙和尚，孙悟空又来到了火云洞。

2　孙悟空变成一只苍蝇，钻进火云洞，探听情况。

3　红孩儿正在吩咐两个小妖，叫他们请自己的父亲牛魔王来吃唐僧肉。

4　五百年前，孙悟空曾和牛魔王有过交往，并结拜成为兄弟。

5　孙悟空听说要去请牛魔王，忙飞出火云洞，变成牛魔王的模样。

6　那几个小妖怪在半路上碰到假牛魔王，连忙跪下，请他去火云洞吃唐僧肉。

7　孙悟空暗暗好笑，答应一声，跟着小妖怪来到火云洞。

8　红孩儿见牛魔王来了，非常高兴，忙把牛魔王请进火云洞。

9　后来，红孩儿听说是半路上碰到的牛魔王，起了疑心。

10　红孩儿假装忘了自己的生日，问孙悟空：“父王，我的生日是哪天？”

11　孙悟空答不出来，对红孩儿说：“我也忘了，等以后去问你的母亲吧！”

12　红孩儿见孙悟空答不出自己的生日，断定这牛魔王是假的。

13　红孩儿一声令下，所有的小妖怪都举刀向孙悟空砍去。

14　孙悟空边打边退出了火云洞。孙悟空没办法了，只好到南海去请观音菩萨。

15　孙悟空一个筋斗来到南海，见了观音，请观音菩萨去降服红孩儿。

16　观音菩萨带着一座荷花宝莲台，和孙悟空一起来到火云洞。

17　孙悟空在火云洞前大吵大闹，把红孩儿引出火云洞。

18　红孩儿见孙悟空又来捣乱，又和孙悟空大战起来。

19　几个回合后，红孩儿又喷出烈火。观音洒下几滴甘露水，浇灭了烈火。

20　红孩儿见烈火被浇灭，慌得连忙逃走。观音把荷花宝莲台抛向红孩儿。

21　宝莲台变成五个箍儿，把红孩儿的头、双手、双脚套住。

22　红孩儿拼命挣扎，观音菩萨发了善心，把箍儿解掉了。

23　红孩儿见箍儿去掉了，又神气起来，举起兵器向观音菩萨打去。

24　观音菩萨又给红孩儿套上箍，而且越勒越紧，这下，红孩儿老实了。

25　红孩儿跪下拜观音菩萨为师，观音菩萨答应了。

26　观音菩萨给红孩儿取了个名字，叫善财童子。

27　观音带着红孩儿走了。孙悟空告别观音，来到了火云洞。

28　孙悟空放出唐僧、八戒和沙和尚，师徒四人继续上西天取经。

乌鸡国

1　西天的乌鸡国里，有一个妖怪。这天，妖怪来到了京都。

2　妖怪用魔法害死了国王，变成国王的模样，当了国王。

3　唐僧师徒来到乌鸡国，这天夜里，唐僧坐在房间里念经。

4　唐僧念着念着，一直到深更半夜，不知不觉趴在桌上睡着了。

5　唐僧做了个梦，梦见有个人来到他的面前。

6　那人正是乌鸡国国王，他向唐僧讲述了自己被妖怪害死的经过。

7　后来，那人拿出一个白玉环给唐僧当作证物，请唐僧为他报仇。

8　那人说完，谢过唐僧后，就飘然走了。

9　唐僧一下醒了过来，见手里真有了白玉环，急忙把孙悟空喊来。

10　唐僧把梦见的情况告诉悟空，叫孙悟空弄清情况，为国王报仇。

11　第二天一早，孙悟空跳到云端上，观察京城里的情况。

12　孙悟空抬头往京城望去，只见从城里透出阵阵妖气，果然有妖怪。

13　正在这时，东城门开了，太子带领一支人马到东郊去打猎。

14　要为国王报仇，必须把真相告诉太子，孙悟空变成一只白兔来到郊外。

15　太子看见了那只白兔，骑着马去追赶白兔。

16　孙悟空跑跑停停，一直把太子引到唐僧住的庙里。

17　孙悟空自己变成一个小和尚，坐在唐僧旁边。

18　太子走进庙里，见唐僧手里拿着白玉环，不禁大吃一惊。

19　唐僧让旁人走开，然后把国王被害的事告诉太子。

20　太子不相信，拿着白玉环回宫内问王后。

21　王后也梦见了国王，见太子来问，就把梦见国王的事告诉太子。

22　太子相信了，马上来到庙里叩见唐僧，请唐僧除掉妖怪，为父王报仇。

23　孙悟空来到王宫的后花园，从一口枯井里捞出了国王的尸首。

24　孙悟空又一个筋斗来到太上老君那儿，取来“还魂丹”，救活了国王。

25　国王对着唐僧、孙悟空拜了三拜，感激他们的救命之恩。

26　唐僧、孙悟空和国王来到王宫，妖怪正坐在王位上，接受百官的朝拜。

27　孙悟空冷不防一棒打死了妖怪，替国王报了仇。

28　国王设宴招待唐僧、孙悟空，又带领文武百官把他们送出国境。

猪八戒哭师父

1　唐僧师徒四人离开乌鸡国后，继续往西天取经。

2　快到中午时，他们来到一座山前，唐僧肚子饿了，叫猪八戒去化斋饭。

3　猪八戒担心自己的长相吓人，讨不到斋饭，就变成个大胖和尚。

4　猪八戒敲着木鱼，一路走去，这时，正好碰上三个送饭的和尚。

5　猪八戒大喜，准备先大吃一顿以后，再化些斋饭回去。

6　不料这些和尚是妖怪变的，他们显出原形，来抓猪八戒。

7　猪八戒和妖怪大战起来。那老妖本领高强，猪八戒眼看要被打败。

8　正在这时，孙悟空出现了。孙悟空举起金箍棒把妖怪打得四下奔逃。

9　孙悟空救了猪八戒，和猪八戒一起化了斋饭回去了。

10　那妖怪回去后，一心想抓住唐僧。这天，他想出一条诡计。

11　老妖选了三个小妖，变成自己的模样，各自埋伏在小路旁。

12　不久，唐僧四人走来。一个假老妖跳出，八戒一见，连忙去追打老妖。

13　三个假老妖引走了孙悟空、猪八戒、沙和尚，真老妖抓走了唐僧。

14　猪八戒回来一看，见师父不在了，急得到处寻找，最后，找到了妖怪洞口。

15　老妖打开大门，把一个假的死唐僧推了出来。

16　猪八戒抱着假唐僧的尸体哭起来，哭了半天，然后刨了一个坑，把假唐僧埋了进去。

17　沙和尚打死小妖回来，听说师父给妖怪打死了，趴在坟上痛哭起来。

18　孙悟空打死小妖，发现上了当，忙到妖怪洞里去寻找师父。

19　孙悟空变成一只蜜蜂，嗡嗡飞进洞，只见老妖正在召集小妖排队。

20　老妖命令一个小妖到后花园去，看看唐僧怎么样了。孙悟空急忙跟着小妖飞去。

21　悟空看见唐僧被绑在树上，不由大怒，打死小妖，救了唐僧。

22　悟空背着唐僧来到洞口，只见老妖正在指挥小妖们练兵。

23　悟空暗暗拔出一根毫毛，放进嘴里嚼碎，变成无数瞌睡虫，向妖怪们喷去。

24　妖怪们扔掉兵器，东倒西歪，一个个都睡着了。最后，连老妖也打着哈欠睡着了。

25　悟空急忙背起唐僧，打开洞门，跑了出去。

26　猪八戒和沙和尚还在坟旁痛哭，看见唐僧来了，不由得又惊又喜。

27　孙悟空、猪八戒、沙和尚又来到妖洞，把妖怪打得死的死，伤的伤。

28　老妖怪想逃出洞去，被孙悟空一棒打死，原来是只花豹精。

车迟国斗法

1　唐僧师徒披星戴月，几天后，来到了车迟国的地界。

2　忽然，前面传来一阵巨响，唐僧勒住马，孙悟空纵身跳到云端去查看。

3　原来是一个道士在监督一群和尚做苦力，孙悟空变成道士走到他们面前，打听消息。

4　原来十年前车迟国大旱，三个道士来与和尚斗法求雨，结果道士赢了。三个道士当了国师。

5　道士在车迟国吃香了，奴役着全国的和尚。悟空听后，气坏了，一棒打死了那个道士。

6　当天晚上，悟空约八戒、沙和尚来到三清观上空，只见那三个道士正在念经求神。

7　悟空有意捉弄道士，吹口仙气，一阵狂风吹进三清观，刮倒香烛灯盏。

8　悟空、八戒、沙和尚又变成元始天尊、太上老君、灵宝道君模样，坐在神台上。

9　道士求神时，悟空把小便当成圣水，戏弄三个道士。

10　第二天，唐僧师徒四人来到皇宫换关文，三妖道连忙向国王告状。

11　悟空说他们是妖怪，道士们一口否认。悟空和三妖道争论得不可开交。

12　正在这时，许多老百姓来到宫前，请三道士降雨。国王请悟空和三道士斗法求雨。

13　虎力道士登上祭坛，念起咒语，一声令牌响过，空中呼呼地起了风。

14　孙悟空见了，忙跳到空中，命令云童雾郎、雷公电母在一旁休息，等他的命令。

15　刚才还狂风呼呼，乌云密布，现在又变得晴空万里。虎力道士谎称龙神不在家。

16　孙悟空扶唐僧登上祭坛，自己呼唤天神，一会儿就下起了大雨。

17　虎力妖道又要和唐僧比坐禅，唐僧一口答应。

18　坐了一会，鹿力妖道拔根短发，变成臭虫，弹到唐僧后脑，咬得唐僧疼痛难忍。

19　悟空忙变成小鸟，一口啄死臭虫，又变成蜈蚣，狠狠咬了虎力道士一口。

20　虎力妖道顿时昏死了过去，一头从高台上栽了下来。

21　虎力妖道不服气，又提出要和悟空比砍头、剖腹、下油锅。

22　刽子手一刀砍下悟空的头，悟空喊了声“头来”，话音刚落，从肚里又长出一个头。

23　虎力妖道刚砍下头，悟空拔根毫毛变成黄狗，叼走了头。虎力妖道死了，原来是只老虎。

24　鹿力妖道又和悟空比剖腹，刽子手把悟空的心挖了出来。

25　鹿力妖道的心刚挖出来，悟空拔毫毛变出黄狗把心吃掉。鹿力妖道死了，原来是只鹿。

26　羊力妖道和孙悟空比下油锅。悟空跳进油锅，叫冷龙在锅下保护，一点儿事也没有。

27　羊力妖道跳进油锅，悟空收去冷龙。羊力妖道被烫死了，原来是只羊。

28　国王设素宴酬谢唐僧师徒，下令放了那些被奴役的和尚，又亲自送唐僧师徒出关。

金峰山收服青牛怪

1　唐僧师徒离开车迟国，继续西行，来到了金峰山。

2　唐僧饿了，让孙悟空去化斋饭。孙悟空用金箍棒画个圈，让唐僧他们站在圈里。

3　孙悟空去的时间长了，唐僧他们等得不耐烦，走出圈子，结果被妖怪抓走了。

4　小妖怪把唐僧等人抓进洞，妖魔高兴极了，要等抓来孙悟空后，再吃唐僧肉。

5　孙悟空化斋饭回来，不见了唐僧，忙向山神土地打听，知道唐僧被独角大王抓走了。

6　孙悟空忙来到洞口，大叫大喊，要独角妖魔交出师父和师弟。

7　独角妖魔提刀走出山洞，和孙悟空大战起来。

8　独角妖魔打不过孙悟空，取出一个圈子抛向空中，把孙悟空的金箍棒收走了。

9　孙悟空来到天宫向玉皇大帝求救。李天王、哪吒太子和孙悟空一道去擒魔。

10　哪吒太子大战独角妖魔，后来，独角妖魔又抛出圈子，把哪吒的兵器收走了。

11　悟空和李天王决定去请火德星君来用火烧那圈子。火德星君知道后，跟悟空走了。

12　李天王和独角妖魔大战，火德星君放出天火，谁知，又被独角妖魔收走了。

13　悟空又到乌浩宫请水德星君，水德星君用玉瓶装了全部黄河水倒进山洞。

14　那妖魔用圈子抵住石门，那黄河水全部倒流出来，只见山前山后波涛汹涌，白浪翻滚。

15　那圈子太厉害啦！哪吒太子要孙悟空去把那圈子偷来。

16　晚上，孙悟空变成一只苍蝇从石缝里飞进山洞，妖魔正在呼呼大睡。

17　那圈子套在妖魔的手臂上，孙悟空变成只跳蚤，在妖魔的手臂上乱咬。

18　妖魔被咬得又痛又痒，可就是不肯取下圈子。悟空没有办法，只好来到山洞后厅。

19　在后厅，悟空看见被妖魔收来的兵器，十分喜欢，拿了兵器，又放了一把火。

20　妖魔被惊醒了，急忙取下圈子把大火套走。妖魔断定这是孙悟空干的，要找孙悟空决战 。

21　妖魔提枪来到洞外，悟空、哪吒一起拿起兵器，大战妖魔。

22　战了几个回合，妖魔又取出圈子，把悟空、哪吒的兵器全收走了。

23　悟空没办法了，他一个筋斗来到西天，请如来佛祖帮忙。

24　如来让降龙、伏虎两罗汉去降妖，临行时，如来又悄悄叮嘱了几句。

25　降龙、伏虎两罗汉来到金峰山。他们抛出金丹砂，顿时，流沙铺天盖地向妖魔涌去。

26　那妖魔不慌不忙，又取出圈子，把金丹砂也收走了。

27　降龙罗汉告诉孙悟空：如来佛祖吩咐，可去太上老君那儿，一定能弄清妖魔的来历。

28　原来独角妖魔是太上老君的青牛。太上老君带走了青牛，唐僧师徒继续赶路。

女儿国奇遇

1　这一天，唐僧师徒来到一条河边，唐僧和猪八戒有些口渴，喝了几口河水。

2　过了一会儿，唐僧和猪八戒的肚子痛起来。悟空决定就近投宿，找药给他们治病。

3　村庄里的老婆婆告诉悟空：唐僧和八戒喝了子母河的水，三天后要生孩子了。

4　原来，这儿是女儿国，没有男人，人们长到二十岁，就去喝子母河的水，三天后就会生下一 个女孩。

5　　唐僧、八戒听了，叫苦不迭，老婆婆又说："解阳山有一眼落胎泉，可以解胎。"

6　　悟空驾云来到解阳山，如意真仙是红孩儿的叔父，不肯把泉水给悟空。

7　　悟空没有办法，只好打败如意真仙，抢了解胎泉水，转身就跑。

8　唐僧、八戒喝了泉水，立即疼止病消。次日，他们来到了女儿国皇城。

9　女儿国的国王早就听说唐僧相貌堂堂，决定嫁给唐僧，自己当王后。

10　女儿国国王派太师做媒说亲，唐僧正想拒绝，不料悟空却一口答应。

11　太师高兴地回去了，唐僧责怪悟空，悟空说："不答应招亲，女王不换关文，所以只好用计脱身。"

12　几天后，女王亲自来接唐僧师徒入宫。吃过喜酒后，女王把关文交给悟空。

13　悟空请唐僧和女王送他们出关。女王一口答应，和唐僧一起送孙悟空他们出关。

14　过关后，唐僧走下马来，对女王说："陛下请回吧，贫僧要告辞取经去了。"

15　正在这时，一阵狂风卷来，空中落下一个女子，挟住唐僧，冲上云霄，转眼就不见了。

16　悟空急忙跳上云端追赶那妖怪，终于在五座深山里找到了妖洞：毒蝎山琵琶洞。

17　悟空变成一只蜜蜂飞进山洞，看见那女妖怪正在逼唐僧和她成亲。

18　悟空现出本相，举起金箍棒向那女妖怪打去。女妖口喷烟火，罩住唐僧，接着举叉和孙悟空大战起来。

19　孙悟空大怒，挥舞金箍棒狠打猛揍。那女妖拼命抵挡，渐渐招架不住。

20　斗了一会，女妖从身后抽出一条九节钢鞭似的东西，扎了悟空的头，悟空痛得抱头就逃。

21　悟空逃出山洞，蹲在石头上，两手捂着头直叫痛。他们决定休息一夜，明天再去救师父。

22　第二天，悟空、八戒和沙和尚又来到琵琶洞，猪八戒一钉耙砸在洞门上。

23　那女妖闻报，提着双叉跳出洞口，只战了几个回合，女妖又在八戒嘴上扎了一下。

24　八戒痛得大叫一声，悟空、沙和尚也逃离山洞。路上，他们碰到了观音菩萨。

25　观音告诉孙悟空，那女妖是个蝎子精，只有请来昴日星官才能治服那女妖。

26　悟空忙一个筋斗来到天上，去请昴日星官。昴日星官跟着悟空来到琵琶山。

27　悟空和八戒打进洞，把女妖引出洞，昴日星官现出本相——一只大公鸡。

28　那大公鸡高叫一声，女妖现出了她蝎子的本相，大公鸡又叫了一声，蝎子精倒地死去了。

1　有一个妖精想冒充唐僧师徒去西天取经，悄悄跟在他们后面。

2　这天，猪八戒去化斋时，假孙悟空故意打死两个人，八戒见了，忙去报告唐僧。

3　唐僧一气，把孙悟空赶走了。悟空来到观音菩萨那儿，观音菩萨留下了悟空。

4　悟空走后，唐僧叫八戒去找水。八戒去了 好长时间没回来，唐僧又叫沙和尚去找八戒。

5　假悟空来了，抢走了唐僧的包袱和经文，又把唐僧打昏在地。假悟空跑回花果山去了。

6　八戒和沙和尚回来，忙救醒了唐僧。猪八戒气得跑到花果山找孙悟空。

7　猪八戒腾云驾雾，来到花果山，见孙悟空正在翻看经书，气得上前大骂。

8　假悟空招招手，从石山后面走出假唐僧、假八戒和假沙和尚，还有一匹白马。

9　八戒气得抡起钉耙，就要打假悟空。假悟空一声呼唤，许多小猴子把八戒赶下山。

10　八戒打不过假孙悟空，怒冲冲地跑到南海，去向观音菩萨告状。

11　悟空听说有人冒充他打伤师父，拉着八戒来到花果山，和假悟空打了起来。

12　两个悟空要到观音菩萨那里去分真假，都叫八戒回去保护师父，八戒连喊："怪事！"

13　观音菩萨也觉得奇怪，就念起紧箍咒，谁知两个悟空都痛得抱头打滚。

14　观音菩萨无法分出真假，就叫他们到天宫去，让玉皇大帝辨认。谁知玉皇大帝也分不出真假。

15　托塔李天王取出照妖镜，可照妖镜里的两个悟空一模一样。李天王也没办法了。

16　两个悟空打出南天门，腾云驾雾，打着骂着，一同去见唐僧。

17　唐僧看看这个，瞧瞧那个，分不出，只好念起紧箍咒，两个悟空都抱头求饶。

18　两个悟空离开师父，要找阎王分辨，一路对打着进了地府。

19 阎王查遍了簿籍，也查不出丝毫线索，只好请来地藏菩萨。

20 地藏菩萨牵出一只名叫谛听的怪兽。谛听在两个悟空间听了很久，最后摇了摇头。

21 两个悟空又打了起来，翻着筋斗互相扯着，来到西天如来佛祖的大雷音寺。

22 四大金刚拦住他们，两个悟空都说自己是真的，争吵不休。

23　如来见两个孙悟空果真一模一样，其中必有一个是妖怪，就想了一个办法。

24　如来取出一只紫盂，抛向空中，紫盂绕着两个悟空转了起来

25　忽然，紫盂内闪出一道光柱，把假悟空罩在当中，假悟空想逃，但挣扎不了。

26　假悟空现出原形，原来是一只六耳猕猴。孙悟空抡起金箍棒，一下把它打死了。

27　悟空谢了如来，离开西天，一个筋斗翻了十万八千里，前去拜见师父。

28　八戒向悟空认错，唐僧也后悔错怪了悟空。四人收拾好行李，同心协力，向西行进。

三借芭蕉扇

1　唐僧师徒四人继续赶路。这时已是深秋时节，可是越往西走天气越热。

2　唐僧师徒来到一座庄院住宿。庄主告诉他们，前面有座火焰山，八百里大火，无人能过。

3　唐僧一听，急得不知如何才好。悟空忙向庄主请教，用什么办法能过火焰山。

4　庄主告诉悟空，西南方翠云山芭蕉洞的铁扇公主有把宝扇，能一扇熄火，二扇生风，三扇下雨。

5　悟空听后，立即一个筋斗来到翠云山，向一个樵夫打听铁扇公主的住处。

6　樵夫告诉悟空，铁扇公主是牛魔王之妻。悟空一听连连叫苦，当年收服她儿子红孩儿，现在她肯定不肯借扇。

7　悟空来到翠云山芭蕉洞前，铁扇公主一听孙悟空来了，提着宝剑怒气冲冲来到洞前。

8　铁扇公主不但不把扇子借给孙悟空，还把孙悟空大骂了一顿，并要孙悟空把红孩儿还给她。

9　悟空为借宝扇，宁可受辱，任铁扇公主在头上连砍十几下。铁扇公主见砍不死悟空，转身回洞。

10　悟空见铁扇公主不愿借扇，拿出金箍棒，拦住铁扇公主，两人在洞前大打起来。

11　铁扇公主打不过悟空，拿出芭蕉扇用力一扇，把孙悟空扇到千里之外的小须弥山。

12　灵吉菩萨正住在这里。灵吉菩萨把一颗定风丹送给悟空，悟空驾云返回翠云山。

13　铁扇公主见悟空一会儿就回来，吃了一惊，又拿出芭蕉扇，扇了几下，可孙悟空一动也不动。

14　铁扇公主又扇了几下，可孙悟空还是一动不动，铁扇公主慌了，连忙收起宝扇逃回山。

15　孙悟空变成一个小虫子，从门缝里钻进山洞，正好看到铁扇公主在喝茶。

16　悟空灵机一动，连忙飞到茶杯里，铁扇公主口渴了，一口把孙悟空吞到肚里。

17　悟空在铁扇公主肚里拳打脚踢，痛得铁扇公主呼天喊地，在地上乱滚。

18　悟空停住了，喊道："嫂嫂，快借扇给我！"铁扇公主连声讨饶，答应把宝扇借给悟空。

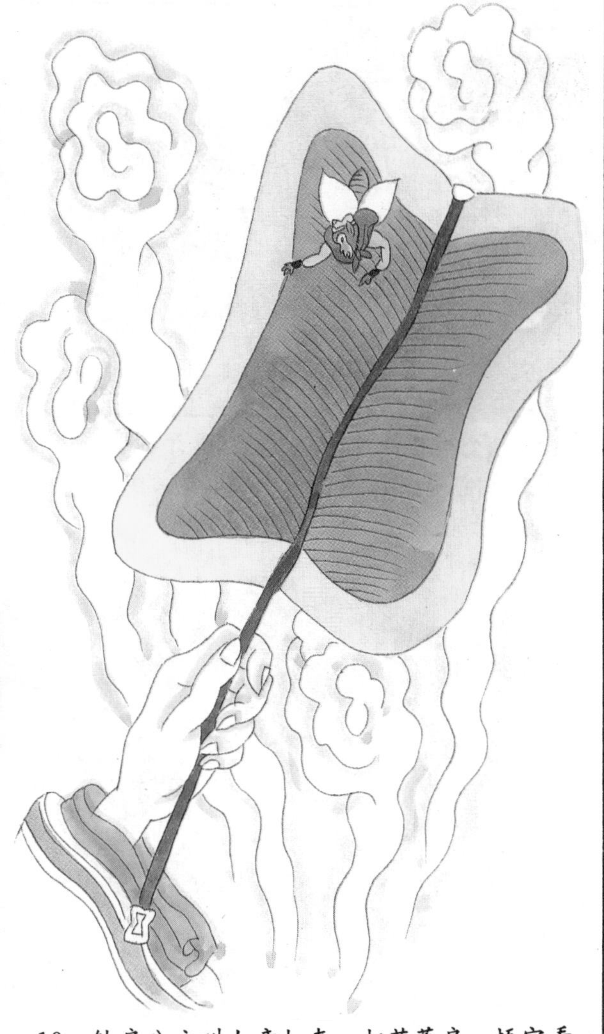

19　铁扇公主叫女童扛来一把芭蕉扇。悟空看到扇子，从铁扇公主肚里飞出来，停在扇子上。

20　悟空现出原身，拿了扇子，离开芭蕉洞驾云回到庄院，然后和唐僧等一起前往火焰山。

21　走了几十里，天气越来越热，悟空叫唐僧留在原地，自己到火焰山去灭火。

22　悟空来到火焰山，用力一扇，只见越扇火越大，原来，这把扇子是假的。

23　正当悟空一筹莫展时，土地神现身告诉悟空，要借真芭蕉扇，必须去找牛魔王。

24　悟空把唐僧他们送回庄院，自己一个筋斗来到积雷山摩云洞寻找牛魔王。

25　牛魔王听说来了个和尚，感到奇怪，出门一看，原来是收走他儿子的孙悟空。

26　牛魔王大怒，举起混铁棍朝悟空劈面打去，悟空举棒相迎，两人大打起来。

27　牛魔王的本领十分高强，孙悟空和他一直打到晚上，也没能分出胜负。

28　“猴头，我要赴宴去了！”牛魔王罢战回洞，跨上避水金睛兽，驾云向西北方向而去。

1　悟空见牛魔王向西北方向去了，忙化成一阵清风，悄悄地跟在牛魔王身后。

2　牛魔王骑着避水金睛兽到了一个深潭，悟空见了，忙变成一只螃蟹，跳进水中寻找。

3　牛魔王和老龙精在喝酒，悟空见避水金睛兽拴在宫外的石柱上，忙牵了金睛兽，走出深潭。

4　悟空骑上避水金睛兽，变成牛魔王的模样，到芭蕉洞去骗铁扇公主的芭蕉扇。

5　铁扇公主见了牛魔王，十分喜欢，忙把牛魔王迎进洞。悟空假装关心，询问芭蕉扇的情况。

6　铁扇公主嗔笑道："我藏在口里呢！"说着，从口里吐出一把杏叶大小的扇子递给悟空。

7　悟空接过扇子问："这小小的扇子怎么能扇灭八百里大火？"铁扇公主一边埋怨丈夫，一边把扇子变大的口诀念出来。

8　悟空暗暗把口诀记在心里，然后把扇子放在口中，现出本相，拔腿离开了芭蕉洞。

9　悟空出了洞，把口诀念了一遍，那扇子果然变大，可悟空不知道变小的口诀，只好扛着大扇子赶路。

10　牛魔王吃完酒宴出来，不见了避水金睛兽，料定被孙悟空偷去，驾云直奔翠云山。

11　等他来到翠云山，孙悟空已经骗走了宝扇。铁扇公主又气又恼，把牛魔王骂了一顿。

12　牛魔王连忙去追赶孙悟空，远远发现孙悟空扛着扇子在前面走，忙灵机一动，变成猪八戒的模样。

13　悟空因为骗到了扇子，心中高兴，未留神分辨真假，把扇子交给了牛魔王。

14　牛魔王接过芭蕉扇，默念口诀，将扇子缩小，放在嘴里，一下子现出了本相。

15　悟空一见，又气又恨，举起金箍棒，朝牛魔王打去。两人从地上打到天空。

16　八戒见悟空去了好长时间没回来，就去寻找悟空，见悟空正和牛魔王打得难解难分。

17　八戒上前助战，九齿钉耙一个劲地砸向牛魔王，这下，牛魔王招架不住了。

18　牛魔王不敢恋战，虚晃一棒，化作一阵清风逃回摩云洞。

19　悟空和八戒追到摩云洞。这时，牛魔王已经进了洞，他关上洞门，不再应战。

20　八戒听说牛魔王变成自己的模样骗走宝扇，气坏啦，举起钉耙打破洞门。

21　悟空和八戒冲进洞，乒乒乓乓乱打一通，牛魔王见了，变成一只乌飞出洞。

22　悟空一见，摇身一变，变成一只苍鹰，去抓小鸟。

23　牛魔王又变成一只灰鹤向南飞去，悟空变成一只白凤，挡住牛魔王的去路。

24　牛魔王变成一只狼，逃向森林，悟空变成一只猛虎，向狼扑去。

25　牛魔王发脾气了，现出本相，说声“大”，变成一条顶天立地的白牛，用蹄子踩悟空。

26　悟空也现出原形，说声“大”，变得比白牛还大，一脚踩住高山，双手抓住牛角。

27　悟空治服了牛魔王，牵着牛魔王来到芭蕉洞，铁扇公主只好把扇子借给孙悟空。

28　悟空扇灭了大火，然后把芭蕉扇还给铁扇公主，继续向西天而去。

捉拿金鱼精

1　滔滔的通天河挡住唐僧师徒的去路，他们只好来到一家姓陈的庄主家。

2　陈庄主显得很忧伤，悟空一打听，原来他家的女儿几天后要送给灵感大王吃。

3　悟空心想，肯定又遇上了妖怪。他叫陈庄主找来了童男童女。

4　孙悟空和猪八戒变成了童男童女，几天后，村人把假童男童女抬到通天河边灵感大王庙。

5　孙悟空和猪八戒正吃着供果，正在这时，一阵狂风刮来，天空中出现一个身披鳞甲的妖怪。

6　妖怪张爪来抓童男童女，八戒慌了，现出原形，举起钉耙向妖怪凿去。

7　悟空跳到半空中，挥舞金箍棒，迎面挡住妖怪。妖精认得悟空，吓得转身逃进通天河。

8　妖怪逃回水府，鳜鱼婆献计，叫妖精施魔法，雪冻通天河，活捉唐僧。

9　第二天，忽然下起大雪，此时正是秋天，大家非常奇怪，陈庄主请唐僧多住几天，唐僧不肯。

10　第三天，通天河结了厚冰，能行车马，唐僧告别了陈庄主，带着徒弟走上通天河。

11　走到河中间，忽然冰层迸裂，唐僧、八戒和沙和尚掉入河中，只有悟空跳上云头。

12　妖精捉住了唐僧，十分高兴，命令虾兵蟹将把唐僧锁进石匣里，藏了起来。

13　八戒和沙和尚在河里找不到唐僧，互相埋怨着来见悟空，悟空想了想，就带着他们暂回陈家庄。

14　悟空留下沙和尚看管行李，和八戒一起跳进通天河，去寻找唐僧，捉拿妖精。

15　他们游到一座楼前，八戒不敢进去，悟空就变成一只虾婆婆，一跳一跳走了进去。

16　悟空对虾兵说："大王派我来看看唐僧逃没逃。"虾兵忙把孙悟空带到藏唐僧的地方。

17　悟空隔着石匣安慰唐僧，叫他不要惊慌，等捉了妖精就来救他。

18　悟空离开水府，让八戒前去挑战，把妖精引出水。八戒雄赳赳扛着钉耙去了。

19　八戒一钉耙把水府大门凿破，妖怪大怒，提起铜锤就和八戒打起来。

20　八戒打不过妖怪，倒拖钉耙，气喘喘地跳出水来喊道："师兄，我把妖怪引来了。"

21　悟空举棒打去，那妖怪一见，不敢迎战，慌忙逃回水府，再也不出来。

22　悟空没办法，只好回来告诉大家。悟空一个筋斗来到普陀山，请观音菩萨帮忙。

23　悟空叫八戒再去挑战。八戒来到水府门前，大喊大叫，可那妖怪紧闭大门就是不出来。

24　观音菩萨提着一只花篮，和孙悟空一起来到通天河。她轻轻把花篮放到通天河里。

25　过了一会，观音菩萨提起花篮，只见花篮里有一条金鱼和一只荷花苞。原来妖怪是金鱼，荷花苞是他的兵器。

26　八戒打进水府，把虾兵蟹将打得横七竖八，然后从石匣里救出了唐僧。

27　乡亲们欢送唐僧师徒。这时，一只老鼋浮出水面，向他们致意。原来，这只老鼋才是水府真正的主人。

28　老鼋驮着唐僧师徒向通天河对岸游去，乡亲们向他们挥手，要他们取经回来再做客。

1　唐僧师徒翻过高山，来到一座庙前。唐僧一看，是雷音寺。

2　雷音寺是如来佛祖居住的地方，唐僧连忙下马，就要跪拜。

3　孙悟空告诉师父，这是小雷音寺，而且里面透出凶光，说不定是个妖穴。

4　正在这时，忽听到寺里有人在喊："唐僧，你从东土到西天取经，见我佛为何不拜？"

5　唐僧连忙披了袈裟，一步一步进大殿，孙悟空早就看出如来佛是妖怪变的，举棒就打。

6　那如来佛哈哈大笑几声，现出了本相，原来是个蓬头黄眉的老妖怪，自称黄眉老佛。

7　黄眉老佛抛出一副铙钹，把悟空罩在中间。其余的妖怪一拥而上，把唐僧、八戒、沙和尚捆绑起来。

8　悟空在铙钹里左冲右撞出不来，又把金箍棒变成梅花钻，可是钻来钻去也钻不出洞来。

9　孙悟空又念动咒语，请来天兵天将，来揭那铙钹，可怎么也揭不动。

10　二十八宿将对着铙钹斧劈刀砍，可铙钹仍然纹丝不动。

11　最后，孙悟空拔下救命毫毛，变成细钢钻，把铙钹钻了洞，孙悟空钻出了铙钹。

12　孙悟空现出原形，举起金箍棒，把铙钹打得粉碎。黄眉怪舞动狼牙棒，和悟空打了起来。

13　二十八宿将和诸神各举兵器，把黄眉怪团团围住。黄眉怪扯下一个口袋往空中一抛，把孙悟空和天神全收进口袋。

14　黄眉怪得胜而归，命令小妖把悟空和天神都捆起来，自己睡觉去了。

15　悟空使个遁身法，挣脱绳索，又给天神松了绑，救了唐僧、八戒、沙和尚，逃出小雷音寺。

16　他们逃出小雷音寺不远，黄眉怪发现了，领着小妖追了上来。

17　黄眉怪拿出口袋，悟空喊了声："快跑！"一个筋斗翻上云端，天神和唐僧等人被黄眉怪的口袋收走了。

18　悟空来到武当山，请荡魔天尊相助。荡魔天尊派龟蛇二将及五大神龙前往小雷音寺，解救唐僧。

19　他们浩浩荡荡杀向小雷音寺。黄眉怪率领小妖们迎战，五大神龙大显神威。

20　黄眉怪见来势凶猛，又拿出布袋，把五大神龙、龟蛇二将全收进了布袋。

21　只有孙悟空逃得快，没被抓着。孙悟空落在一座高山，显得十分难过。

22　正在这时，一朵彩云从西南方飘来，悟空抬头一看，原来是弥勒佛祖。

23　原来黄眉怪是弥勒佛的黄眉童子，前几天乘弥勒赴会时，偷了弥勒的神袋，逃到这里作怪。

24　弥勒来到山下的一块瓜田边，变成一个种瓜人，要悟空变成西瓜，等黄眉怪来。

25　黄眉怪来到西瓜地，弥勒佛祖把悟空变的西瓜给黄眉怪吃，悟空乘机钻进他的肚中。

26　悟空在妖怪肚里拳打脚踢，疼得黄眉怪在地上直打滚。

27　弥勒佛现出本相，黄眉怪见了，连忙跪下求饶："主人公，饶命啊，我再不敢了！"

28　弥勒佛祖把黄眉怪收进神袋，然后驾着彩云回西天去了。

1　傍晚时分，唐僧师徒来到金光寺塔，只见塔内关着许多和尚。

2　老和尚告诉唐僧，塔顶的宝珠不见了，京城里经常有妖精吃人，皇帝怪罪下来，拷问和尚。

3　悟空见塔顶有妖气，跳到塔顶，抓住了两个正在喝酒的小妖，才知道宝珠被碧波潭的龙王偷去了。

4　皇帝听说捉住了妖精，派人抬着轿子来接唐僧他们。八戒押着两个小妖，跟在轿子后面。

5　皇帝设宴招待唐僧，请唐僧捉拿妖精，夺回宝珠。唐僧推荐悟空去，悟空一口答应。

6　八戒忙跳出来喊道："咱也能捉妖精，和猴哥一道去！"皇帝大喜，连忙道谢。

7　悟空八戒带着两个小妖来到碧波潭，放了小妖，叫他们向老龙王捎口信，交出宝珠。

8　一会儿，老龙的驸马九头怪跳出来，挥舞月牙铲就打。八戒抡起钉耙，向九头怪狠命凿去。

9　九头怪转过身，一个头咬住钉耙，把猪八戒拖进碧波潭。

10　悟空随后变成一只螃蟹，潜入水府。只见老龙王正和九头怪在喝酒，庆贺胜利。

11　悟空找到八戒，钳断了绳索。八戒要再去决战，可是没有了钉耙，十分着急。

12　悟空拿来了八戒的钉耙。八戒整整衣衫，抖擞精神，向大厅冲去。

13　龙王和九头怪大吃一惊！八戒怒气冲冲，踢倒画屏，打翻桌子，把珊瑚珍宝打得稀巴烂。

14　九头怪急忙取出兵器，迎战八戒。老龙王也率领虾兵蟹将把八戒围在当中。

15　八戒渐渐招架不住，倒拖钉耙，跳出水面，乱嚷道："猴哥，快打妖精。"

16　悟空一棒，把刚浮出水面的老龙王打得脑浆迸溅，九头怪拖着老龙王的尸体，潜入水府。

17　悟空要和八戒乘胜追进水府，夺回宝珠。八戒一下坐在地上，大声喊："饿了，饿了，没力气。"

18　这时，二郎神带着神犬去打猎，从天上走过。悟空忙跳上云头，喊住了他。

19　二郎神正好带着食物，就请八戒饱吃一顿。然后，悟空和他们商量计策。

20　八戒吃饱以后，再次潜入水府。只听水府里哭声一片，好不悲惨。

21　九头怪气势汹汹来战八戒。八戒战了几个回合，转身就逃，引九头怪出水。

22　悟空拦住九头怪，九头怪腾空逃走，被二郎神一弹弓打落下来，神犬蹿上去，咬死了九头怪。

23　接着，悟空变成九头怪，八戒变成龟将军，大摇大摆进了水府。

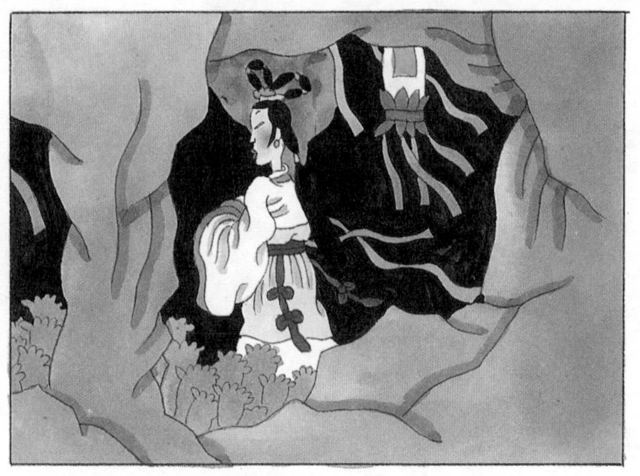

24　龙公主出来迎接他们，悟空骗公主，说打了胜仗，报了仇，龙公主非常高兴。

25　悟空说："快把宝珠藏好。"龙公主就把装着宝珠的匣子交给悟空。

26 悟空接过宝匣，现出本来面目。龙公主刚想逃走，八戒举起钉耙，把她打死了。

27 悟空和八戒告别二郎神，带着宝匣回到皇宫。皇帝见了宝珠，非常高兴。

28 宝珠在塔顶上重放光芒，和尚和百姓们都来拜谢唐僧师徒。

1　唐僧师徒四人这天来到一座高山，这山中有个狮驼洞，洞里有三个魔头，本领十分高强。

2　八戒自告奋勇在前面探路，碰到一个小妖，猪八戒举起九齿钉耙，把小妖打死了。

3　那三个魔头宣称：一定要抓住唐僧。唐僧很焦急，孙悟空变成小妖模样，直闯狮驼洞。

4　三个魔头正在喝酒，孙悟空对三个魔头说："我看见唐僧了，他的徒弟孙悟空不好惹啊。"

5　三魔头笑了笑，忽然抛出一根绳索，捆住了孙悟空，哈哈狞笑道："你是猴头变的。"

6　大魔头急忙取出宝瓶，把孙悟空装了进去，说："不出三个时辰，叫猴头化成水。"

7　悟空把金箍棒变成金钢钻，在瓶盖上钻了个洞，化成一阵烟雾钻了出来。

8　悟空回来后，和猪八戒一起来到妖洞。大魔头出洞迎战，他一刀把悟空劈成两半，不料变成两个悟空。

9　大魔头慌了，刚想逃，只见八戒举着钉耙，狠狠凿来，大魔头张开大嘴，来吞八戒。

10　八戒慌了，转身就跑。只见悟空被大魔头一口吞下肚，八戒边跑边喊："师兄这下完了！"

11　大魔头回到洞中，悟空在他肚子里又打又踢，疼得他抱住石柱子直喊饶命。

12　大魔头答应送唐僧过山，悟空拔根毫毛变成绳子，扣住大魔头的心肝，然后从他鼻孔中跳出来。

13　悟空牵着大魔头，小妖抬着唐僧上山。走到半路，二魔头拦住了他们的去路。

14　二魔头吹口气，吹断了扣住大魔头心肝的绳子，又用长鼻子卷走了猪八戒。

15　悟空忙救回师父，叫沙和尚保护好师父，他又变成小虫子飞进狮驼洞，看见八戒被绑在石柱上。

16　悟空救出八戒，跑出山洞。二魔头发现后，追出来，用长鼻子卷住了悟空。

17　八戒喊道："快制服长鼻子！"悟空忙把金箍棒插进长鼻子，二魔头连忙求饶，答应送唐僧过山。

18　大魔头和二魔头抬着轿子送唐僧过山。刚过山冈，三魔头从空中飞下，展开巨翅向悟空扑去。

19　三魔头本领最大，他把唐僧师徒四人全部抓回狮驼洞，装在四只笼子里，放在火上蒸。

20　悟空使出个隐身法，跳出笼子。当悟空打开洞门时，惊醒了三个魔头，他们一起来捉拿孙悟空。

21　孙悟空和他们一场恶斗，看看难以取胜，忙一个筋斗逃走了。

22 三个魔头怕唐僧他们逃走，就把唐僧他们锁进柜子，命令小妖们严加看守。

23　悟空没有办法了，只好来到西天，请如来佛祖前去帮助除掉那三个魔头。

24　如来佛祖带着文殊菩萨和普贤菩萨来到狮驼洞上空，又叫悟空前去挑战。

25　普贤菩萨降服了大魔头，大魔头现出青狮子原形，从此就成了普贤菩萨的坐骑。

26　二魔头原来是只白象，文殊菩萨收留了它，骑在白象背上，回到如来佛祖身边。

27　三魔头飞去抓如来，如来用手一指，把它定在自己的头顶上，原来是只大鹏金翅鸟。

28　悟空打进洞，救了唐僧、八戒和沙和尚，他们跪下来拜谢如来佛祖。

1　这天，唐僧师徒四人来到一座庄园。唐僧执意要让徒弟们休息，自己进庄园化斋饭。

2　唐僧刚走进庄园，就出来七个女子，你拉我拽，把唐僧拉到一座冷气森森的石洞。

3　七个女子一拥而上，有的陪唐僧闲聊，有的忙着端上来几盘人肉、兽肉，唐僧吓得连忙告辞。

4　七个女子一拥而上，把唐僧捆绑起来，吊在梁上，又吐出丝绳，密密地布满洞门。

5　悟空见师父好长时间不出来，就跳上大树观看，见庄院里放出一道道白光，知道遇上了妖精。

6　悟空让八戒、沙僧看好行李，自己奔到庄前，只见那丝绳结了千百层厚，用手一摸，黏糊糊的不知是什么东西。

7　悟空念了几声咒语，请来本地的土地神询问，才知道这儿是盘丝洞，洞里住着七个女蜘蛛精。

8　悟空打听清楚，回到原处告诉两位师弟。八戒听说是打女妖精，格外有劲，迈步向盘丝洞走去。

9　八戒走进洞中，不见一个妖精。突然，八戒听到一阵嬉笑声，原来，七个女妖正在潭里洗澡。

10　八戒大喝一声，举耙就打。众女妖见来了个又黑又胖的和尚，又羞又恼，一齐吐出丝绳把八戒缠住。

11　八戒左冲右突，连摔了几个跟斗，最后倒在地上爬不起来。女妖得胜了，哈哈大笑着都散开了。

12　八戒吃了败仗，连忙回来告诉悟空。悟空怕女妖伤害师父，连忙向盘丝洞飞奔而去。

13　来到洞口，许多小妖变成成千上万只马蜂、牛虻，向悟空、八戒、沙和尚头上和身上乱叮。

14 悟空拔下一把毫毛，变成无数小鸟追吃小虫，一会儿就把那些小虫吃光了。

15　那七个女妖不在洞里。悟空救了唐僧，又放了一把火，把盘丝洞烧掉了。

16　唐僧师徒四人离开盘丝洞，继续赶路，没走多远，来到一处楼阁前，门上写着“黄花观”。

17　黄花观老道是盘丝洞七女妖的师兄，女妖早已到此求救。老道把下了毒的茶给他们喝。

18　唐僧、八戒和沙和尚口渴极了，端起茶一饮而尽，不一会儿，他们先后昏倒在地。

19　悟空逼问老道，老道冷笑道："你们毁了我师妹的盘丝洞，现在休想逃出我手心！"

20　老道拔剑就砍，七个女妖也一起出来给老道助力，悟空越战越勇，女妖忙吐出丝绳搭成天篷。

21　悟空一个筋斗跳到空中，拔下一把毫毛，变成无数悟空，举着金箍棒乱打。

22　老道和女妖哪是孙悟空的对手，七个女妖被抓住。悟空要老道交出师父和师弟，不然就打死蜘蛛精。

23　老道不肯，要吃唐僧肉。悟空大怒，挥动金箍棒，把蜘蛛精全都打死了。

24　悟空又去追杀老道，老道打不过悟空，眼中射出万道金光，悟空被照得头昏目眩。

25　悟空急忙钻到地下，行了几十里，才钻出地面。悟空碰上一个老婆婆，老婆婆让悟空去请紫云洞田比蓝婆来降妖。

26　悟空来到紫云洞，田比蓝婆一口答应悟空的请求，两人一起驾云来到黄花观。

27　悟空又和老道激战，田比蓝婆把一根绣花针抛向空中，只听一声巨响，老道倒地死去。

28　那老道是只蜈蚣精。悟空谢过田比蓝婆，救了师父师弟，继续上西天取经。

三探无底洞

1　唐僧师徒继续向西走，走了几天，他们来到一片树林边，唐僧饿了，让悟空去化斋。

2　唐僧在林中静心念经，忽然听到传来一阵呼救声，唐僧随声望去，见有一棵树上绑着一位女子。

3　那女子告诉唐僧，自己来扫墓，遇到强盗，被绑在这里。她恳求唐僧救救她。

4　八戒正要去解下那女子，悟空从空中跳下："她是妖怪。"猪八戒一听，连忙停住手。

5　唐僧也不再坚持，撇下那女的去了。那女妖对唐僧高喊："见死不救，还拜什么佛，取什么经？"

6　唐僧见女妖说得有道理，忙叫八戒解下那女子，带着那女子一道往西走去。

7　傍晚，唐僧一行几人来到一座庙里，主持和尚热情接待了他们，给他们安排住宿。

8　自从唐僧他们住进庙里后，庙里有几个和尚莫名其妙地失踪了。悟空断定是那女妖所为，决心抓住那女妖。

9　这天夜里，悟空变成小和尚在庙里敲钟。半夜，那女妖走来拉住悟空，约悟空到后花园去。

10　悟空跟着她来到后花园。那女妖绊倒悟空，一边喊着心肝哥哥，一边张嘴来吃悟空。

11　悟空现出本相，那女妖一见，抛出一只花鞋变成自身挡住悟空，真身化成一阵清风走了。

12　那女妖来到庙里，抓住唐僧，逃回千里之外的陷空山无底洞中去了。

13　悟空打死那女妖，见是一只花鞋，知道上了当，忙到庙里去找唐僧，哪里还有唐僧的影子。

14　悟空找来土地神，知道那女妖住在无底洞，连忙带着八戒、沙和尚来到无底洞前。

15　悟空变成苍蝇，一直向洞里飞去，飞了好久，才来到洞底。那女妖正在逼唐僧和她成亲。

16　悟空变成一只老鹰，张开巨爪，把一桌酒菜掀翻，然后飞出了无底洞。

17　悟空飞到洞口，休息一会，又变成蜜蜂，直往无底洞里飞去。

18　悟空来到唐僧身边，对唐僧悄悄地说："师父，你把女妖哄到后花园，我自有办法。"

19　唐僧邀请女妖到后花园玩，女妖一口答应，陪唐僧来到了后花园。

20　唐僧把孙悟空变的桃子摘下，送给女妖吃。女妖刚张嘴，孙悟空一下滚进她肚里。

21　悟空在女妖肚里拳打脚踢，女妖精疼痛难忍，在地上直打滚。

22　悟空要女妖把唐僧送出洞，女妖只好挣扎起身，背上唐僧，送到洞口。

23　悟空从女妖肚里跳出来，女妖恼羞成怒，取出宝剑向孙悟空砍去。

24　女妖又故伎重演，用花鞋变成自己，真身化成一阵清风，抓住唐僧回到无底洞去了。

25　悟空三入无底洞，找了好久，也不见女妖，最后，他看见一块灵牌“尊父李天王之位”。

26　悟空拿着牌位来到李天王处告状，李天王感到莫名其妙，和悟空一起来到无底洞。

27　原来，那女妖是只白鹿精，三百年前曾经拜李天王为父。李天王带着白鹿精回去了。

28　唐僧出了无底洞，师徒四人打点好行李，继续往西而去。

1　这一天，唐僧师徒来到天竺国玉华县，这县中城主是天竺皇帝的宗室，被封为玉华王。

2　唐僧师徒来到玉华王府，唐僧让三个徒弟在客馆里休息，自己去拜见玉华王。

3　一会儿，来了三个王子。那三个王子见悟空、八戒、沙和尚相貌丑陋，以为是妖怪，举起兵器就打。

4　悟空、八戒、沙和尚各显神威，三个王子看得呆若木鸡，一起下拜，要拜悟空、八戒、沙和尚为师。

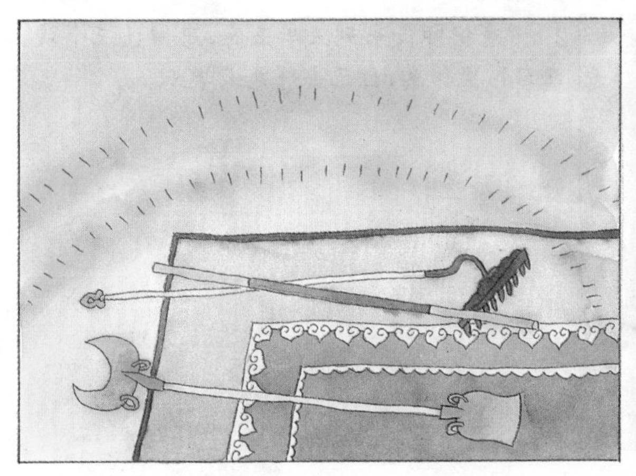

5　三个王子让铁匠照样打一根金箍棒、一把九齿钉钯，一根降魔杖。这三件兵器放在棚里，发出道道霞光。

6　夜里，千里之外豹头山虎口洞的妖魔黄狮精看到了霞光，使用妖法把三件兵器偷走了。

7　悟空断定武器给妖怪偷去，就问国王什么地方有妖怪，国王告诉悟空，千里之外的豹头山有个黄狮精。

8　悟空让八戒、沙和尚保护唐僧,自己一个筋斗翻到豹头山,正好碰上两个狼头小妖。

9　黄狮精得了三件宝贝,要开庆功会,叫两个狼头小妖去买肉。

10　悟空用定身法定住两个小妖,拿了令牌,回到玉华县城内。

11　悟空和八戒两人变成两个小妖的模样，赶着一群猪来到豹头山。

12　悟空和八戒赶着猪进了虎口洞，八戒见自己的钉耙在那里，沉不住气了，现出本相，举起钉耙就打。

13　孙悟空也现出本相，拿起金箍棒朝黄狮精打去。黄狮精抵挡不住，连忙溜走了。

14　悟空和八戒打死小妖，烧了妖洞，拿着武器回到了玉华县城内。

15　再说那黄狮精逃到竹节盘桓洞，请九头狮子怪九灵元圣替他报仇。

16　九头狮子怪答应了，它带着狮妖们纵起狂风，直奔玉华城。玉华城上空顿时飞沙走石，天昏地暗。

17　悟空、八戒、沙和尚跳上云头迎战。猪八戒大战黄狮精、孙悟空勇战九头狮子怪。

18　双方好一阵恶战，八戒一招不慎，被黄狮精抓住。悟空和沙和尚各抓住一只狮子回城。

19　第二天，九头狮子怪又带领狮妖们来到玉华城，悟空、沙僧各显神通，双方杀得难解难分。

20　九头狮子怪瞅准机会，九个头的血盆大口同时张开，把唐僧和国王父子叼走。

21　悟空一见，忙拔出一把毫毛，变成许多孙悟空，个个奋勇，战斗这才把狮妖们打败。

22　第二天，孙悟空和沙和尚来到竹节山，九头狮子怪既不披挂，也不拿兵器，大摇大摆走出洞。

23　九头狮子怪把头一摇，左右八个头一齐张开，把悟空、沙僧衔住，回山洞去了。

24　夜里，悟空使遁身法逃出山洞，念动咒语，请来本地土地神，询问九头狮子怪的来历。

25　原来，这九头狮子怪是太乙天尊的坐骑。悟空忙一个筋斗，来到东极妙岩宫请太乙天尊。

26　太乙天尊和孙悟空来到竹节山。悟空大声叫骂，九头狮子怪大怒，走出洞来张口就咬。

27　太乙天尊现出原形，九头狮子怪一见，连忙四脚伏地，跪在地上直讨饶。

28　悟空救出众人，放火烧了盘桓洞，告别了太乙天尊，然后回到玉华城去了。

1　唐僧师徒离开玉华城，几天后，来到慈云寺，住持和尚听说他们来自东土大唐，连忙施礼相迎。

2　第二天吃过早饭，唐僧想继续赶路，住持说："明天是元宵节，过了元宵节再走吧！"

3　元宵节那天，唐僧师徒与和尚一起上街观灯。街上真热闹啊，灯火辉煌，笙歌不断。

4　突然，一阵狂风刮来，那些和尚说："风来了，是佛爷来看灯了。"唐僧与和尚一起，跪在地上迎接佛爷。

5　一会儿，风中果然现出三位佛身，悟空抬头一看，原来这三个佛身是三个妖精变的。

6　悟空拿出金箍棒，刚想去打妖精。那三个妖精又刮起一阵风，把唐僧卷走了。

7　悟空一见，忙对八戒、沙僧喊道："师父被妖精捉去，我去救师父。"说罢跳上云端随风追去。

8　追到一座高山中，风停了，妖精也不见了。悟空忙向土地神打听，原来这山叫青龙山，玄英洞里有三个妖精。

9　悟空找到玄英洞，站在门外大喊："妖精，快把我师父送出来，不然，叫你们死无葬身之地。"

10　三个妖王各持兵器，带着大大小小的小妖，把孙悟空团团围住。孙悟空抖擞精神奋战妖精。

11　一直打到晚上，孙悟空纵云脱身，回到慈云寺，把经过告诉八戒、沙僧。他们又连夜赶到玄英洞。

12　悟空让八戒、沙僧在洞门口等候，自己变成一只萤火虫，飞进洞去探听虚实。

13　悟空飞到唐僧面前，现出本相，救了唐僧，然后拉着唐僧往外走去。

14　走到半路，碰到了两个小妖。孙悟空打死一个，另一个小妖回头边跑边叫："孙悟空进洞啦！"

15　三个妖王听到喊声，急忙拿起兵器，挡住悟空的去路。悟空只好独身一人杀出洞外。

16　八戒急了，抡起钉耙，把洞门打得粉碎。三个妖王大怒，带领小妖杀到洞外。

17　双方苦战多时，三妖王一声号令，小妖们一拥而上，抓住了八戒、沙和尚，悟空纵云脱身。

18　悟空离开玄莫洞，直奔九重霄，向玉皇大帝讨救兵，在西天门遇见了太白金星。

19　太白金星告诉悟空，那三个妖怪是犀牛精，只有四木禽星才能降伏那三个妖怪。

20　太白金星带着悟空来到灵霄宝殿，向玉皇大帝奏明情况，玉皇大帝下旨：让四木禽星和悟空一道前去降妖。

21　四木禽星和悟空一起来到青龙山玄莫洞上空。四木禽星说："请大圣把妖怪引出来，我们好降妖。"

22　悟空在洞前一阵叫骂，三个妖王率领小妖出洞，跑了个圈子阵，把悟空团团围住。

23　四木禽星从天而降，喝道："孽畜，休动手！"大小妖怪一见四木禽星，纷纷显出原形：水牛、黄牛……

24　三个妖王也显出了原形，原来是三头犀牛，他们丢下兵器，纷纷向山下逃去。

25　四木禽星大喝一声："妖精，哪里走！"奋力前去追赶妖精。

26　三个妖王没处可逃，他们纷纷跪在地上，求四木禽星饶命。

27　四木禽星收服了三妖王，告别悟空，驾起彩云，回到天庭去了。

28　悟空进洞，救出唐僧、八戒和沙和尚，收拾好行李后，继续往西天而去。

1　几天后，唐僧师徒四人来到宝华山。金禅寺的住持忙把唐僧他们迎进寺，热情招待。

2　夜里，唐僧正在念经，突然听到有女子的哭声，唐僧忙叫孙悟空去打听清楚。

3　原来，那女子是天竺国的公主，几天前，有个妖精把公主刮到山中，那妖精变成了公主。

4　孙悟空把情况告诉了唐僧，唐僧要悟空救出公主。孙悟空一口答应了。

5　第二天，唐僧一行来到天竺国的国都。只见街上挤满了人，原来，那假公主在抛绣球招驸马。

6　假公主一心想与唐僧成亲，好取唐僧的元阳真气。她见唐僧来了，忙把绣球抛到唐僧头上。

7　宫女们向唐僧祝贺，请唐僧入宫。孙悟空悄悄对唐僧说："这叫依婚降妖计，到时我有办法。"

8　国王要选择吉日为公主完婚。唐僧说："我还有三个徒弟，请陛下倒换关文，让他们上西天取经。"

9　国王忙给他们倒换关文。假公主怕孙悟空，要国王让孙悟空、猪八戒、沙和尚快快出关。

10　悟空收好关文，和八戒、沙和尚一起向城外走去，临别时，悟空又安慰唐僧，让他放心。

11　来到城外，悟空让八戒、沙和尚住下，自己变成一只蜜蜂，飞回王宫去了。

12　唐僧知道悟空回来，放心了。正在这时，宫女前来请唐僧。悟空停在唐僧帽子上，一道进宫去。

13　假公主来了，她脸上有点妖气，但并不凶恶。悟空对唐僧说："公主是假的，我来抓住她。"

14　悟空现出本相，大喝一声，抓住假公主："孽畜，你竟敢害我师父。"

15　假公主见被识破，忙拿出一根短棒，和孙悟空大战起来。

16　孙悟空和那妖精从地上打到空中，打了大半天，仍然不分胜负。

17　孙悟空把金箍棒抛起，喊声“变”，顿时，空中变出千百根金箍棒，围住妖精乱打。

18　那妖精慌了手脚，化成一道清风向天上逃去。孙悟空把棒收回，随风追去。

19　悟空的筋斗云比妖精快，他赶到妖精面前，挡住了妖精的去路。

20　妖精又和悟空斗了十几个回合，料难取胜，将身一晃，化成一道金光逃回宝华山。

21　悟空在山上寻找妖精，可找了半天也没有找到，他只好叫来山神询问。

22　山神告诉悟空，这山上从来没妖精，只有三处兔穴。说完，山神把悟空带到兔穴前。

23　悟空用金箍棒砸碎洞门，那妖精跳了出来，又和悟空打了起来。

24　双方又斗了十几个回合，眼看妖精支持不住，悟空举起金箍棒，狠狠向妖精打去。

25 “大圣，棒下留情！”悟空抬头一看，只见嫦娥仙子驾着彩云来了。

26 原来，这假公主是广寒宫里的玉兔。嫦娥仙子带着玉兔回广寒宫去了。

27 第二天，国王亲自来到金禅寺接公主。国王又下了命令，送了许多钱重修金禅寺。

28 国王举行盛大宴会，感谢唐僧师徒四人，并率领文武百官，把唐僧师徒送出城。

拜见佛祖

1　唐僧师徒又走了半个多月，忽然见到前面高楼凌空，悟空说："真佛处已到，师父快下马！"

2　唐僧一听，连忙下马，正在这时，有个道童来到山门前问道："来者可是东土取经人？"

3　那道童是金顶大仙。大仙领唐僧师徒入观，又叫小童烧香汤让他们沐浴，好登佛地。

4　第二天，唐僧身披袈裟，手持锡杖，告别金顶大仙，和徒弟们一起前去朝见佛祖。

5　唐僧师徒往前走了几里，前面有条大河，挡住了他们的去路。

6　悟空找了很久，好不容易找到了一座独木桥，可唐僧和八戒都不敢走。

7　正在焦急，忽然有个人撑着一条船来到面前，可那船是无底船，悟空火眼金睛，认出撑船的是接引佛祖。

8　唐僧见是无底船，怎么也不肯上船，佛祖说："船虽无底，古往今来却能普渡众生。"

9　悟空乘唐僧不注意，一下把唐僧推到船上，八戒、沙僧一见，也一起上了船。

10　接引佛祖轻轻一撑，小船飞快地驶向对岸。船到江心，忽然漂来一具唐僧的尸体。

11　悟空对唐僧说："师父莫怕！那是你的凡胎！"原来，唐僧已经脱了凡胎，变成了仙人。

12　上岸后，唐僧师徒四人继续向前，不久就登上通向灵山的石径，来到雷音寺门外。

13　四大金刚见到唐僧，连忙施礼相迎。一位金刚说："圣僧稍候，待我进去禀告佛祖。"

14　如来听说唐僧来到，即召八菩萨、四金刚、五百罗汉等分列两排，然后传旨，召唐僧师徒进殿。

15　唐僧师徒来到大雄宝殿，对如来倒身下拜，又把大唐皇帝的信及关文献给如来。

16　如来命阿傩、伽叶两位尊者带着唐僧师徒用斋后，到珍楼宝阁领取经典。

17　阿傩、伽叶引唐僧看遍经名后，见唐僧没有东西送给他们，他们居然不肯传经给唐僧。

18　悟空见他们不肯传经，叫嚷起来：“师父，我们告到如来那儿去。”阿傩、伽叶忙说：“莫嚷，来接经吧！”

19　唐僧、悟空、八戒和沙和尚忙转身接经，一卷卷收在包里，又捆成两大捆，驮在马上。

20　第二天，唐僧师徒叩谢了如来，又告别了众神，然后挑着经书，往东土大唐而去。

21　刚走了一会，只听得一声巨响，白雄尊者从半空中伸出一只巨手，把驮在马背上的经书全部提走了。

22　悟空拿出金箍棒，追上云头。白雄尊者一见，忙把经包撕破，经书从天上像雪似的飘了下来。

23　唐僧师徒四人连忙收捡散落的经卷，打开一看，发现卷卷都是白纸，没有一个字。

24　原来，燃灯古佛知道阿傩、伽叶传的是无字真经，命白雄尊者前来抢经书，好让唐僧再去取有字的真经。

25　唐僧师徒挑着无字真经，又来到雷音寺，向如来告状，要求如来传给有字真经。

26　如来笑着说："此事已知，只因经不可轻传，不可轻取。这白本是无字真经，只是你们看不懂。"

27　阿傩、伽叶奉如来金旨，带着唐僧师徒来到传经宝阁，把有字真经传给了唐僧。

28　唐僧师徒历尽千辛万苦，终于取到了真经。第二天，他们告别如来，匆匆往东土大唐而去。

1　　唐僧师徒四人挑着经书，驾云向东，突然，一阵狂风刮来，他们四人一齐从天上跌了下来。

2　　唐僧他们从天上跌到地上，发现已经来到天河西岸，可没有船，没有桥，怎么过河呢？

3　　正在焦急的时候，忽然听到有人在叫喊："唐圣僧，这里来！"唐僧师徒抬头一看，原来是只老鼋。

4　　当年，唐僧师徒上西天经过通天河时，也是这只老鼋送他们过河的。老鼋驮了他们游向东岸。

5　快到东岸时，大鼋问唐僧："那年托你向如来佛祖问我的寿年，是否问过？"唐僧忘了问，只好沉吟不答。

6　大鼋见唐僧没有问，生气了，将身一晃，沉下水去。唐僧师徒连同经书全落入水中。

7　幸亏离岸不远，唐僧师徒慌慌忙忙上了岸，又急急忙忙地把经书一卷卷捞到岸上。

8　他们刚登上岸，忽然又刮来一阵狂风，一时雷鸣电闪、飞沙走石，唐僧师徒连忙按住经包。

9　师徒四人劳累了一夜，天亮时风雷止息，太阳升起，忙打开包袱晾晒经书。

10　当年，悟空曾救过陈家庄庄主的女儿，陈庄主忙亲自来请唐僧师徒进庄休息。

11　盛情难却，唐僧师徒收拾好经卷，随陈庄主来到陈家庄，全村男女老幼都到村口迎接。

12　在陈家吃过中饭后，唐僧就要拜别，陈家兄弟及全家人都不肯放，唐僧师徒只好在陈家庄休息。

13　半夜三更，唐僧把徒弟叫起，牵马挑担，悟空使个解锁法开了庄门，悄悄往东而去。

14　走了一会，半空中传来金刚的叫声："逃走的，跟我来！"顿时唐僧一行连马带经升到空中。

15　八大金刚使用第二阵香风，不到一日，就把唐僧师徒四人送到了东土大唐京都长安。

16　八大金刚说："圣僧，我们不下去了，你去传了经就回来，随我们一道回灵山缴旨。"

17　八大金刚又对唐僧说："观音菩萨规定八日返回，你们快去快回，不得有误。"说完，把唐僧四人降落地上。

18　唐太宗自从送唐僧去西方取经后，第二年就命人在长安城外修了一座望经楼，派人在楼里等待。

19　这天，唐太宗恰巧来到望经楼，只见西方满天瑞气，飘来阵阵香气，不一会，就见唐僧从云中落下。

20　唐太宗一见，忙率领文武百官，走下望经楼，前去迎接唐僧。

21　唐僧见了太宗连忙下拜。太宗搀起唐僧，带着悟空、八戒、沙僧一起回朝。

22　满城的人都知道唐僧取经回来了，纷纷出来迎接，唐僧旧住的满福寺更是热闹非凡。

23　来到皇宫，唐僧把经卷取出来送给唐太宗，又向唐太宗汇报了取经的经过。

24　唐僧取经回来，功劳极大，唐太宗亲自写了一篇文章，表彰唐僧的功德。

25　第二天，唐僧和唐太宗一起来到雁塔寺，唐僧正想给唐太宗讲经，空中金刚高叫："唐僧，快跟我回去。"

26　唐僧一听，忙告别唐太宗，和悟空、八戒、沙僧一起升上云端，随金刚去了。

27　八大金刚驾着香风，刚好在八天之内回到灵山，领着唐僧师徒进殿，拜见如来。

28　如来封唐僧为功德佛，悟空为斗战胜佛，八戒为净坛使者，沙僧为金身罗汉。师徒四人叩头谢恩。

哪吒太子
孙悟空
铁扇公主
镇元大仙